Historias de la Biblia

Καὶ νέους θάρσυνε· νίκης δ᾽ ἐν θεοῖσι πείρατα.
ΑΡΧΙΛΟΧΟΣ
ΕΛΕΓΕΙΑ, ΤΕΤΡΑΜΕΤΡΑ (57 D)

Anima tú a los jóvenes: a los dioses les toca determinar el triunfo.
ARQUÍLOCO
Elegías, tetrámetros (57 D)

CÁTEDRA BASE

Historias de la Biblia

Edición de Elisa Martín Ortega

CÁTEDRA

Colección dirigida por José Mas y M.ª Teresa Mateu

1.ª edición: marzo de 2012

Diseño y cubierta: M. A. Pacheco y J. Serrano
Ilustración de cubierta: Miguel Ángel, *El Diluvio Universal*
(fresco, 1508-1512)

ISBN: 978-84-376-2987-2
Depósito legal: M. 7.049-2012
Impreso en España - Printed in Spain

ÍNDICE

INTRODUCCIÓN

La Biblia es un libro que a su vez contiene muchos libros, escritos por diferentes personas en momentos y circunstancias históricas muy diversas. No constituye un conjunto homogéneo, sino que nos presenta una multitud de ideas, puntos de vista, normas y promesas. Es una obra fascinante y compleja, llena de preguntas, donde cada lector debe encontrar sus propias respuestas.

En esta edición hemos querido mostrar, de un modo riguroso y accesible, aquello que representa la expresión central del Antiguo Testamento de la Biblia, el hilo conductor de sus diferentes partes: sus historias. Pues la Biblia es, ante todo, una narración, o, más bien, un conjunto de narraciones basadas en antiguos mitos, leyendas y realidades históricas. Tales historias forman parte de un gran relato, y son dos sus protagonistas principales: Dios y el pueblo de Israel. A través de los textos se va tejiendo la relación de Dios con su pueblo, se asiste a su evolución, a sus momentos de cercanía y de alejamiento. Las historias están pobladas de personajes que muestran la esencia de lo humano, con sus grandezas y debilidades, sus momentos claros y oscuros. Por eso, después de tantos siglos, siguen siendo importantes para nosotros.

La Biblia es un texto sagrado para los cristianos (católicos, protestantes u ortodoxos) y los judíos, aunque con algunas diferencias que explicaremos a continuación. Desde esta perspectiva, se trata del texto a través del que Dios se ha revelado al hombre. Pero los no creyentes, o quienes tienen fe en otras religiones, también pueden adentrarse en el mundo fascinante de la Biblia: descubrirán en él narraciones profundas y arrebatadoras, dilemas éticos y morales, personajes magníficos o crueles, y una literatura hermosa y rica. La Biblia nos ofrece, a través de sus historias, un sinfín de posibilidades para pensar, para identificarnos, para disentir también. Muchos artistas y pensadores, a lo largo del tiempo, han interpretado la Biblia dando lugar a obras y teorías fascinantes. La huella de la Biblia marca la historia de Occidente y crea un puente también con el Oriente. Pero, sobre todo, no hay que pensarla como una historia cerrada: este libro pretende que cada lector, a través del conocimiento de los relatos y el acercamiento a las actividades propuestas, pueda hacer suyos los textos, leyéndolos desde sus circunstancias y su presente.

Formación del texto bíblico

Los primeros vestigios de los textos que formarían después el Antiguo Testamento de la Biblia se remontan a alrededor del año 1000 a.C. y los últimos libros que se incorporaron a él fueron compuestos en el siglo II a.C. A lo largo de ochocientos años estos materiales se fueron transmitiendo de diversas formas. Algunos relatos bíblicos tienen su origen en algún hecho o leyenda que primero se narraba oralmente y más tarde se puso por escrito. Otros, sin embargo, son obra de un único autor, que los compuso en un momento determinado y luego fueron copiándose en diversos manuscritos. Esta diversidad de formas de transmisión ha hecho que nos hayan llegado distintas versiones de algunas narraciones, y que incluso dentro de la propia Biblia encontremos algunas veces varias formas de una misma historia, al provenir cada una de ellas de una tradición oral diferente. El ejemplo más claro sería el del relato de la Creación. Leyendo atentamente el inicio del Génesis (que en este libro se corresponde con los relatos 1 y 2) se puede apreciar cómo aparecen, una detrás de otra, dos historias alternativas de la creación del mundo y de los seres humanos: se narran los mismos hechos de dos maneras distintas.

El período en que se transmitían oralmente diferentes versiones de algunos de los relatos bíblicos se prolongó durante muchos siglos. Al mismo tiempo, se iban poniendo algunos textos por escrito y también se componían nuevas historias. Sin embargo, cuando en el 568 a.C. el rey Nabucodonosor invadió Jerusalén, destruyó el Templo y deportó a los israelitas a Babilonia, ellos, tras haber perdido su reino y ante el peligro de asimilación con otros pueblos, hicieron de sus textos sagrados el elemento que fundamentaba su unión como pueblo. Así, unificaron las diferentes tradiciones y se inició la labor de fijación de la Biblia que finalizaría siglos más tarde. Como parte de este trabajo se redujeron los elementos mágicos o mitológicos de algunos textos, para hacerlos más acordes con la naciente religión de Israel. Así, por ejemplo, se eliminaron aquellos fragmentos que hacían referencia a un antiguo politeísmo. La idea de que existe un solo Dios —el monoteísmo— es una de las más originales aportaciones de los relatos bíblicos. Los demás pueblos que vivían en aquella zona adoraban a muchos dioses, aunque a menudo creían que existía una divinidad principal o que los protegía especialmente frente a los demás pueblos. Los israelitas, partiendo de estas mismas ideas, pasaron de considerar que Yahveh era su dios nacional, el que a ellos les acompañaba y apoyaba, a sostener que se trataba del único Dios verdadero, creador de la Tierra y de todos los hombres, desplazando a las divinidades de los otros pueblos a la categoría de ídolos falsos e inertes.

Hay que tener en cuenta, al mismo tiempo, que el orden en que se compusieron los diferentes libros de la Biblia no se corresponde con el orden en que aparecen en las Biblias actuales. Algunos textos, como el Génesis y el Éxodo, que provienen de narraciones orales muy antiguas, se redactaron en su forma definitiva mucho después que ciertos textos proféticos (como Amós, Oseas o Isaías). Otras historias, como las de Daniel o Judit, se sitúan en un momento histórico del pasado (en el caso de Daniel el exilio de Babilonia), pero se compusieron siglos más tarde. Como veremos más adelante, este modo especial de reinterpretar la historia es una de las principales características de la Biblia.

La Biblia y las religiones

El judaísmo, el cristianismo y el islam, las tres religiones mono-teístas, se caracterizan por haber situado en el centro de su experiencia religiosa un texto escrito. A través de él tiene lugar la comunicación entre lo humano y lo divino, y por eso se las denomina «religiones del Libro». En el caso del judaísmo y el cristianismo este libro sagrado es la Biblia. Sin embargo, la Biblia de los judíos y la de los cristianos no son iguales, nacen de una base común, pero presentan algunas importantes diferencias.

Al tomar la Biblia como un libro de fe, divinamente inspirado, se hizo necesario para estas religiones el establecer un canon, es decir, un conjunto cerrado de textos que se admitían como válidos y de los que se podían extraer la doctrina y las normas propias de la religión. El canon definitivo de la Biblia se fijó aproximadamente entre los siglos II y IV de nuestra era y estaba destinado a establecer las bases de la práctica religiosa y de la fe. Hubo muchas obras religiosas que gozaron de importancia, pero que por una u otra razón no fueron admitidas en el canon: a estos libros se los denomina apócrifos.

El texto sagrado de los judíos se corresponde casi por completo con el Antiguo Testamento de la Biblia cristiana, es decir, con las historias recogidas en este libro. Su núcleo está formado por los cinco primeros libros de la Biblia (Génesis, Éxodo, Levítico, Números y Deuteronomio) que se denominan Torá o Pentateuco. En ellos se narra desde la creación del mundo hasta la llegada de los hebreos a la tierra de Canaán, al mismo tiempo que se dan multitud de normas y leyes que rigen la vida social y religiosa de las comunidades judías. Después de una serie de relatos fundacionales (la aparición del mundo y los primeros hombres, el diluvio, la torre de Babel), se cuenta el modo en que Dios establece diversas Alianzas con su pueblo elegido, cómo los propios israelitas van tomando conciencia de este hecho, y la manera en que, como consecuencia de esta elección, deben organizar sus vidas. La palabra Torá significa Ley, y los judíos consideran que esta parte de la Biblia constituye el fundamento de las normas morales y rituales que rigen su existencia. El resto de la Biblia aparece dividida en dos bloques fundamentales: Profetas (libros históricos, como Josué, Samuel y Reyes; y proféticos, en los que se recogen las profecías de Isaías, Jeremías, Ezequiel, etc.) y Escritos (que incluye los libros poéticos y sapienciales, como los Salmos, el Cantar de los Cantares, Proverbios o Job; y también algunos libros históricos de composición más tardía, como Rut o Nehemías).

Es fundamental tener en cuenta que en la Biblia judía, también conocida como Biblia Hebrea, la lengua en que están compuestos los textos constituye un elemento fundamental: todos los libros están escritos en hebreo (excepto algún fragmento en arameo). El hebreo es, para los judíos, una lengua sagrada, el único idioma en el que la revelación divina es posible. El judaísmo hace de la lengua hebrea un elemento esencial de sus reflexiones, llegándola a considerar el material con el que Dios llevó a cabo la creación del mundo.

El cristianismo, por su parte, toma como elemento fundamental la encarnación de la palabra en la figura de Cristo. Adopta el texto sagrado de los judíos, la Biblia Hebrea, y le añade el Nuevo Testamento, en el que se relatan la vida y obras de Jesús, las cartas y los hechos de los apóstoles, donde se narra la creación de las primeras comunidades cristianas, y el Apocalipsis. El conjunto del Antiguo Testamento es reinterpretado a la luz del Nuevo, y algunos de sus pasajes aparecen a los ojos de los cristianos como avisos o anuncios de la llegada de Jesús. Así, el Nuevo Testamento introduce una nueva revelación y al mismo tiempo se configura como paradigma de interpretación de la Biblia Hebrea.

El Nuevo Testamento está escrito en griego, no en hebreo, pero esto no es un problema para los cristianos que, al considerar que la máxima encarnación divina se halla en la figura de Cristo, no piensan que la palabra de Dios deba expresarse en un idioma determinado. Precisamente por ello el Antiguo Testamento cristiano difiere un poco de la Biblia Hebrea: se incluyen en él algunos libros escritos en griego, que precisamente por ello son rechazados por los judíos. Destacan entre ellos el libro de Judit, los Macabeos y algunos fragmentos de Daniel y Ester. A este conjunto de textos se los denomina deuterocanónicos, y forman parte de la Biblia católica. Los protestantes, sin embargo, después de la reforma de Lutero, decidieron mantener el Antiguo Testamento tal y como se conserva en la tradición judía.

La Biblia y la historia

Durante mucho tiempo el estudio de la Biblia estuvo casi exclusivamente centrado en la teología, es decir, en la investigación acerca de cómo Dios se reveló a los hombres a través de la palabra. Sin embargo, desde el siglo xix han ido apareciendo enfoques nuevos, y la Biblia ha comenzado a estudiarse también desde la literatura, la filología, la historia, la arqueología, la antropología o la sociología. De este modo se han abierto diferentes puntos de vista que han permitido relacionar la Biblia con el resto de culturas de la Antigüedad, vincular sus relatos con los acontecimientos históricos que conocemos, o utilizarlos como fuente para comprender la sociedad de su tiempo.

Conviene destacar, en primer lugar, la relación de la Biblia con las culturas y religiones del Próximo Oriente Antiguo (Egipto, Mesopotamia, Fenicia, etc.). Los estudios comparados han mostrado que algunas de las historias que aparecen en la Biblia (por ejemplo, la del diluvio), ciertos conjuntos de leyes y proverbios, y figuras como las de los profetas tienen claros paralelos en mitos, normas y textos provenientes de dicha zona. Se demuestra, así, que la Biblia forma parte de un conjunto cultural más amplio, con el que comparte una determinada visión del ser humano y de lo divino, y cuyas normas éticas y formas de organización social también presentan importantes coincidencias.

Las primeras historias que aparecen en la Biblia narran la creación del hombre, la expulsión del Paraíso, y toda una serie de relatos fundacionales que se mueven en el ámbito de lo mítico y lo legendario. Con Abraham, elegido por Dios para ser el fundador del pueblo de Israel, comienza la saga de los patriarcas, que llega hasta los hijos de Jacob. Se produce así una promesa, en forma de Alianza, entre Dios y los descendientes de Abraham, a los que les ha sido reservada una tierra: Canaán. La Biblia se configura a partir de entonces como la memoria de un pueblo. Aparecen después las distintas formas de organización social a través de los Jueces, el establecimiento de la monarquía, la división de los dos reinos (Israel y Judá), las denuncias de los profetas y la destrucción del reino de Judá por parte de los babilonios. El exilio en Babilonia, como ya hemos dicho, ocupa un lugar fundamental en la conformación de la religión de Israel, que se desarrolló plenamente a la vuelta del destierro, cuando los persas, que habían derrocado al imperio babilonio, permitieron a los judíos regresar a Jerusalén y reconstruir el Templo. Finalmente, el ejército de Alejandro Magno se hizo con el control de toda la zona y dio paso a una intensa dominación política y cultural del helenismo. Las narraciones bíblicas se sitúan en el contexto de tales hechos y, como es natural, adoptaron elementos provenientes de los pueblos y culturas que los dominaban o que vivían cerca de ellos.

La relación entre los relatos bíblicos y la historia del pueblo de Israel ha constituido un punto de grandes controversias entre los estudiosos, desde quienes piensan que las narraciones bíblicas son pura ficción hasta los que defienden que constituyen la verdad histórica indiscutible. Los análisis llevados a cabo desde diversas disciplinas han permitido proponer una solución intermedia. En efecto, al menos una parte de los hechos narrados en la Biblia se corresponden con eventos sucedidos en la historia del antiguo Israel, certificados por la arqueología o la historiografía; pero esto no quiere decir que la Biblia los refleje de una forma objetiva y verídica. En la mayoría de los casos, se trata de recreaciones más o menos legendarias, en las que, partiendo de un marco histórico más o menos fidedigno, se introducen desarrollos o personajes que son fruto de la ficción. En realidad, nunca sabremos hasta qué punto algunos de los relatos bíblicos son fieles a la historia. Sin embargo, es importante entender que la mayoría de ellos se sitúan en la historia, y no en un mundo mitológico; y que muchas veces también cumplen la función de interpretar la propia historia, otorgándole un sentido.

Lo mismo podríamos decir en relación al espacio donde se enmarcan los relatos. Las ciudades, caminos y pueblos que se nombran en la mayor parte de las narraciones bíblicas existen en la realidad. Por tanto, es posible recorrer la geografía de la Biblia, aunque no exista certeza de que algunos de los hechos que se presentan como sucedidos en un lugar ocurrieran ciertamente allí.

El ejemplo más claro y más controvertido de estas conjeturas y tensiones es el de la historia de Moisés y la salida de Egipto. Si bien se ha podido determinar que en la época en que se sitúa el relato hubo movimientos de tribus de Canaán a Egipto, no hay ninguna evidencia arqueológica de que todo un pueblo estuviera vagando por el desierto durante cuarenta años, ni las fuentes de la historiografía egipcia nombran en ningún momento a Moisés ni ninguno de los hechos que se refieren en la historia bíblica del Éxodo. Al mismo tiempo, la liberación de la esclavitud en Egipto es uno de los elementos fundamentales de la Alianza de Dios con el pueblo de Israel, y posee una importancia capital en la fe de los judíos, pues configura su esperanza y su fe en un Dios liberador que los socorre y los ayuda. Así, se han producido encarnizadas discusiones entre quienes defienden que, dada la falta de evidencias, es todo pura ficción, y quienes sostienen que lo que allí se narra ocurrió realmente. Quizá la única manera de resolver esta tensión sea rompiendo esa contraposición entre verdad histórica y mentira. Los relatos que crean los pueblos hablan de sus verdades: sus problemas, sus anhelos y sus esperanzas tanto o más que la historia que vivieron o los restos materiales que dejaron tras de sí. Por tanto, el hecho de que una narración no sea comprobable históricamente (tanto o más cuando nos referimos a épocas muy antiguas) no habría de restarle valor ni verdad. Al mismo tiempo, el hecho de presentar los relatos en el contexto de lugares y marcos de referencia histórica que pueden ser verificados da fe de una voluntad de pensar desde el mundo, de proponer el milagro, la esperanza o los conflictos como parte de la historia humana.

Géneros literarios

Tal y como puede apreciarse en este volumen, los diversos textos que componen la Biblia pertenecen a distintos géneros literarios. El más abundante es la narración, que es el que hemos elegido como hilo conductor para nuestro libro. Entre las narraciones se incluyen relatos históricos (como en Reyes o Samuel) y legendarios (Génesis y Éxodo), así como otras historias que se fueron añadiendo a lo largo del tiempo (Rut y Judit). La narración bíblica se caracteriza por la intervención de Dios en la historia, con la aparición de milagros y fenómenos sobrenaturales, así como por una gran concisión en algunos momentos: no se da demasiada información acerca de cómo se sienten los personajes ante los acontecimientos que suceden, así que es el lector el que tiene que completar el texto imaginando ciertos detalles. Esto ha hecho que, a lo largo del tiempo, haya habido gran cantidad de comentaristas y escritores que han tratado de completar el texto bíblico con otras historias que permitieran explicar las lagunas que dejaba el original. Así, gran parte de la tradición interpretativa judía es de tipo narrativo.

El Dios de Israel, tal como se presenta en la narrativa bíblica, ama y protege a su pueblo, pero a la vez es celoso y lo castiga. En los libros históricos de la Biblia todas las alegrías y desgracias que afectan al pueblo de Israel se interpretan en términos de pecado: si se produce una invasión es porque el pueblo o sus gobernantes han actuado mal; si Dios los ayuda es porque son piadosos y lo merecen.

Otra parte de la Biblia, de la que no se han recogido ejemplos en este volumen, está formada por textos legales. Destacan, en este apartado, el Levítico y el Deuteronomio, pero también algunas partes de otros libros bíblicos (como el Éxodo). En ellos se establecen las leyes que rigen la vida social del pueblo de Israel y sus relaciones con Dios (basadas en la Alianza entre ambos). Muchas de estas normas provienen de antiguas costumbres, y presentan similitudes con los códigos legales de otros pueblos del Antiguo Oriente (como, por ejemplo, el código de Hammurabi).

La Biblia nos ofrece, además, hermosos textos poéticos. Los israelitas adaptaron temas y formas (himnos, alabanzas o cantos de amor) a partir de las composiciones de los pueblos de su entorno, especialmente del antiguo Egipto y de Mesopotamia, añadiéndoles sus propias peculiaridades. Desde un punto de vista formal, la principal característica de la poesía hebrea es el paralelismo, es decir, el desarrollo de una misma imagen o idea en dos o tres frases paralelas.

El libro más paradigmático de la poesía bíblica es probablemente el de los Salmos. Se trata de un conjunto de himnos, alabanzas y lamentaciones dirigidas a Dios. Partiendo de un género existente en la mayor parte de las literaturas del Antiguo Oriente, la principal aportación de los Salmos es el carácter personal de los poemas. Aparece en ellos la voz de un individuo que, desde su dolor o su agradecimiento, clama a Dios, le da gracias, le increpa o le reclama justicia. El yo poético, por primera vez, se abre camino. La composición de los Salmos ha sido atribuida al rey David, puesto que hay un importante número de salmos reales, es decir, puestos en boca de un monarca. Sin embargo, muchos otros los protagonizan condenados que claman su inocencia u hombres que manifiestan su confianza en Dios. El libro de los Salmos es, por tanto, heterogéneo, y los poemas que lo forman fueron escritos por diversos hombres y mujeres, con inquietudes diversas, a lo largo de los siglos. Muchos de ellos son utilizados en la liturgia, judía o cristiana, hasta hoy en día.

El Cantar de los Cantares es un poema de amor que, dado su gran erotismo, ha sido a menudo interpretado en clave alegórica (el amado es Dios o Cristo y la amada, el pueblo de Israel o la Iglesia, según nos encontremos en un contexto judío o cristiano). En la Biblia se afirma que el Cantar de los Cantares fue escrito por el rey Salomón, y así se ha reflejado en este libro, pero lo más plausible es que esta propuesta de autoría se trate de una ficción para otorgar autoridad al poema y conseguir que se incluyera en el canon de la Biblia a pesar de tratarse de un texto profano. De hecho, estudios lingüísticos han demostrado que se compuso varios siglos después del reinado de Salomón, aunque, una vez más, es probable que muchos de sus versos provengan de una tradición oral más antigua, que se refleja también en los cantos de boda de varios pueblos de la zona.

Dentro de los textos poéticos se encuentra también el libro de Job, que se inicia con una narración en prosa, pero prosigue después en verso, y la mayor parte de los textos de los profetas. Un profeta es una persona a través de la que Dios habla y transmite su mensaje al resto de los hombres. Se conocen casos de profetas y profetisas en muchos pueblos del Antiguo Oriente y el arco Mediterráneo (por ejemplo, las pitonisas en la Grecia clásica). Sus mensajes solían ser ambiguos, cargados de simbolismo, y a veces necesitaban de la interpretación de sacerdotes u otras personas. En ocasiones profetizaban bajo el efecto de sustancias alucinógenas o que alteraban la conciencia. En el caso de la Biblia, los profetas se caracterizan porque sus discursos contienen un importante elemento político y de denuncia. Un profeta bíblico no es solo el que anuncia el futuro, sino sobre todo el que interpreta el presente. Tanto en el reino de Israel como en el de Judá, los profetas clásicos (Amós, Oseas, Isaías) denunciaron los abusos de los poderosos, sus alianzas con potencias extranjeras, la hipocresía de los religiosos y la falta de justicia social. Al tiempo que llamaban la atención sobre estos vicios, anunciaban terribles catástrofes que se vieron confirmadas por la destrucción de ambos reinos y la deportación de sus habitantes.

El profeta Isaías introdujo, al mismo tiempo, un elemento de esperanza que cambiaría para siempre la religión de Israel: el mesianismo. Anuncia que, a pesar de las injusticias y los pecados del pueblo, Dios cumplirá una increíble promesa, la de enviar a un salvador que redimirá el mundo e instaurará un reino de paz y felicidad eternas. Ante la tragedia del exilio, el mensaje de los profetas (Jeremías, Ezequiel, segunda y tercera parte del libro de Isaías) aunó la denuncia con el consuelo, la confianza en el perdón divino y la esperanza mesiánica. Su lenguaje está lleno de imágenes, metáforas, símbolos e, incluso, visiones fantásticas, aunque a veces también es muy duro y directo en la denuncia de las injusticias.

Finalmente, hay una serie de textos en la Biblia que pertenecen a la denominada literatura sapiencial: la mayoría se escribieron después del exilio, una vez que cesaron las revelaciones de los profetas, y son de contenido moral y humanista. Sus autores recopilaron la sabiduría tradicional del pueblo de Israel (contenida en proverbios, refranes, costumbres, etc.) y fueron añadiendo otras reflexiones, que cambiaban según la época. Las cuestiones que se plantean son de índole religiosa, moral y filosófica, y abarcan temas tales como el destino del hombre, el sentido de la vida y del sufrimiento o el misterio de la muerte.

El libro más representativo de este género es el de los Proverbios, que la tradición atribuye al rey Salomón, pero que es de nuevo un conjunto muy heterogéneo de sentencias y refranes que se fueron acumulando a lo largo de los siglos. Algunos de los proverbios tratan sobre cuestiones religiosas y otros son completamente profanos. Su origen está en la sabiduría y la tradición de Israel y de otros pueblos de la zona, como, por ejemplo, el egipcio.

La cumbre literaria de la literatura sapiencial es el libro de Job, en el que por primera vez se pone en duda la teoría de la retribución —la idea de que Dios premia a los justos y castiga a los injustos— y se plantea con una profundidad que aún nos estremece la pregunta sobre el sentido del sufrimiento.

El libro de Eclesiastés o Qohélet, del que se reproduce un breve fragmento en este volumen, es un interesante ejemplo de cómo la filosofía helenística influyó en la sabiduría tradicional judía, introduciendo un marcado tono existencial y cierto grado de pesimismo.

Esta edición

En este libro he reunido cien historias pertenecientes al Antiguo Testamento de la Biblia. He considerado que esta primera parte de la Biblia es literaria y culturalmente autónoma y, por lo tanto, resulta posible desgajarla del Nuevo Testamento (más conocido y accesible, por otra parte) para la edición que aquí presento. El objetivo ha sido el acercar las historias de la Biblia, en versión original, sin interpretarlas ni adulterarlas, a un público joven y no especializado.

He dado primacía al núcleo narrativo de la Biblia, con la intención de conservar el hilo que va uniendo los relatos y que permite dar una coherencia a un conjunto tan heterogéneo. Aunque, por otro lado, no he renunciado a introducir algunos ejemplos de textos proféticos, poéticos y sapienciales, sin los que la visión que el lector se haría de la Biblia sería necesariamente muy limitada. He intentado, en la medida de lo posible, integrar estos textos en el hilo narrativo, aun cuando esto ha supuesto aceptar como válidas atribuciones que desde un punto de vista filológico o histórico son más que discutibles (como que David fue el autor de los Salmos o Salomón escribió el Cantar de los Cantares).

En el texto aparecen dos tipos de letra: en redonda se encuentran los fragmentos bíblicos, extraídos directamente del original según la traducción de la Biblia del Peregrino (dirigida por Luis Alonso Schökel), y en cursiva se pueden leer resúmenes y aclaraciones hechas por la editora del libro con el objetivo de que la necesaria concisión y brevedad de esta edición no haga que se pierda el sentido de la narración. He decidido, igualmente, no dividir el texto según los libros de la Biblia, sino presentarlo como un continuo narrativo, formado por diversos relatos, para no segmentar la atención del lector. Todo ello con el objetivo de realizar un acercamiento literario a la Biblia y contribuir al mantenimiento y difusión de su herencia cultural, sin menoscabo de las ideas religiosas que, según las propias creencias, cada persona pueda encontrar en sus páginas.

Historias de la Biblia

1. La Creación

Al principio creó Dios el cielo y la tierra. La tierra era un caos informe; sobre la faz[1] del abismo, la tiniebla. Y el aliento de Dios se cernía sobre la faz de las aguas. Dijo Dios:

—Que exista la luz. —Y la luz existió.

Vio Dios que la luz era buena; y separó Dios la luz de la tiniebla: llamó Dios a la luz «día», y a la tiniebla «noche».

Pasó una tarde, pasó una mañana: el día primero. Y dijo Dios:

—Que exista una bóveda entre las aguas, que separe aguas de aguas.

E hizo Dios la bóveda para separar las aguas de debajo de la bóveda, de las aguas de encima de la bóveda. Y así fue. Y llamó Dios a la bóveda «cielo».

Pasó una tarde, pasó una mañana: el día segundo. Y dijo Dios:

—Que se junten las aguas de debajo del cielo en un solo sitio, y que aparezcan los continentes.

Y así fue. Y llamó Dios a los continentes «tierra», y a la masa de las aguas la llamó «mar». Y vio Dios que era bueno. Y dijo Dios:

—Verdee la tierra hierba verde que engendre semilla y árboles frutales que den fruto según su especie y que lleven semilla sobre la tierra.

---

[1] *Faz:* superficie.

Y así fue. La tierra brotó hierba verde que engendraba semilla según su especie, y árboles que daban fruto y llevaban semilla según su especie. Y vio Dios que era bueno.

Pasó una tarde, pasó una mañana: el día tercero. Y dijo Dios:

—Que existan lumbreras[2] en la bóveda del cielo para separar el día de la noche, para señalar las fiestas, los días y los años; y sirvan de lumbreras en la bóveda del cielo para alumbrar a la tierra.

Y así fue. E hizo Dios las dos lumbreras grandes: la lumbrera mayor[3] para regir el día, la lumbrera menor[4] para regir la noche, y las estrellas. Y las puso Dios en la bóveda del cielo para dar luz sobre la tierra; para regir el día y la noche, para separar la luz de la tiniebla. Y vio Dios que era bueno.

Pasó una tarde, pasó una mañana: el día cuarto. Y dijo Dios:

—Bullan[5] las aguas con un bullir de vivientes[6], y vuelen pájaros sobre la tierra frente a la bóveda del cielo.

Y creó Dios los cetáceos y los vivientes que se deslizan y que el agua hizo bullir según sus especies, y las aves aladas según sus especies. Y vio Dios que era bueno. Y Dios los bendijo, diciendo:

—Creced, multiplicaos, llenad las aguas del mar; que las aves se multipliquen en la tierra.

Pasó una tarde, pasó una mañana: el día quinto. Y dijo Dios:

—Produzca la tierra vivientes según sus especies: animales domésticos, reptiles y fieras según sus especies.

Y así fue. E hizo Dios las fieras de la tierra según sus especies, los animales domésticos según sus especies y los reptiles del suelo según sus especies. Y vio Dios que era bueno.

---

[2] *Lumbrera:* cuerpo que desprende luz.
[3] *Lumbrera mayor:* Sol.
[4] *Lumbrera menor:* Luna.
[5] *Bullir:* agitarse con un movimiento parecido al agua que hierve.
[6] *Vivientes:* animales.

Y dijo Dios:

—Hagamos al hombre a nuestra imagen y semejanza; que ellos dominen los peces del mar, las aves del cielo, los animales domésticos y todos los reptiles.

Y creó Dios al hombre a su imagen; a imagen de Dios lo creó; varón y hembra los creó. Y los bendijo Dios y les dijo Dios:

—Creced, multiplicaos, llenad la tierra y sometedla; dominad a los peces del mar, las aves del cielo y todos los animales que se mueven sobre la tierra. —Y dijo Dios—: Mirad, os entrego todas las hierbas que engendran semilla sobre la faz de la tierra; y todos los árboles frutales que engendran semilla os servirán de alimento; y a todos los animales de la tierra, a todas las aves del cielo, a todos los reptiles de la tierra, a todo ser que respira, la hierba verde les servirá de alimento.

Y así fue. Y vio Dios todo lo que había hecho: y era muy bueno.

Pasó una tarde, pasó una mañana: el día sexto. Y quedaron concluidos el cielo, la tierra y sus muchedumbres[7].

Para el día séptimo había concluido Dios toda su tarea; y descansó el día séptimo de toda su tarea. Y bendijo Dios el día séptimo y lo consagró, porque ese día descansó Dios de toda su tarea de crear.

Esta es la historia de la creación del cielo y de la tierra.

2. Adán y Eva en el Paraíso

Cuando el Señor Dios hizo tierra y cielo, no había aún matorrales en la tierra, ni brotaba hierba en el campo, porque el Señor Dios no había enviado lluvia a la tierra, ni había hombre

---

[7] *Muchedumbre:* abundancia de personas y cosas.

que cultivase el campo y sacase un manantial de la tierra para regar la superficie del campo. Entonces el Señor Dios modeló al hombre de arcilla del suelo, sopló en su nariz aliento de vida, y el hombre se convirtió en ser vivo.

El Señor Dios plantó un parque en Edén, hacia Oriente, y colocó en él al hombre que había modelado. El Señor Dios hizo brotar del suelo toda clase de árboles hermosos de ver y buenos de comer; además, el árbol de la vida en mitad del parque y el árbol del conocimiento del bien y del mal.

En Edén nacía un río que regaba el parque y después se dividía en cuatro brazos: el primero se llama Pisón y rodea todo el territorio de Javilá, donde se da el oro; el oro del país es de calidad, y también se dan allí ámbar y ónice[8]. El segundo río se llama Guijón, y rodea toda la Nubia. El tercero se llama Tigris, y corre al este de Asiria. El cuarto es el Éufrates. El Señor Dios tomó al hombre y lo colocó en el jardín del Edén, para que lo guardara y lo cultivara. El Señor Dios mandó al hombre:

—Puedes comer de todos los árboles del jardín; pero del árbol del conocimiento del bien y del mal no comas; porque el día en que comas de él, tendrás que morir.

El Señor Dios se dijo: «No está bien que el hombre esté solo; voy a darle la ayuda que le corresponde». Entonces el Señor Dios modeló de arcilla todas las fieras salvajes y todos los pájaros del cielo, y se los presentó al hombre, para ver qué nombre les ponía. Y cada ser vivo llevaría el nombre que el hombre le pusiera. Así, el hombre puso nombre a todos los animales domésticos, a los pájaros del cielo y a las fieras salvajes. Pero no se encontró la ayuda que le correspondía[9].

---

[8] *Ónice:* mineral parecido al ágata, que puede ser de colores muy claros o muy oscuros.

[9] Nadie ayudó al hombre a encontrar el nombre que le pertenecía.

Entonces el señor Dios echó sobre el hombre un letargo, y el hombre se durmió. Le sacó una costilla y creció carne desde dentro. De la costilla que le había sacado al hombre, el Señor Dios formó una mujer y se la presentó al hombre. El hombre exclamó:

—¡Esta sí que es hueso de mis huesos y carne de mi carne! Su nombre será Hembra, porque la han sacado del Hombre.

Por eso un hombre abandona padre y madre, se junta a su mujer y se hacen una sola carne.

Los dos estaban desnudos, el hombre y su mujer, pero no sentían vergüenza.

La serpiente era el animal más astuto de cuantos el Señor Dios había creado; y entabló conversación con la mujer:

—¿Conque Dios os ha dicho que no comáis de ningún árbol del parque?

La mujer contestó a la serpiente:

—¡No! Podemos comer de todos los árboles del jardín; solamente del árbol que está en medio del jardín nos ha prohibido Dios comer o tocarlo, bajo pena de muerte.

La serpiente replicó:

—¡Nada de pena de muerte! Lo que pasa es que sabe Dios que, en cuanto comáis de él, se os abrirán los ojos y seréis como Dios, versados en el bien y el mal.

Entonces la mujer cayó en la cuenta de que el árbol tentaba el apetito, era una delicia de ver y deseable para tener acierto. Tomó fruta del árbol, comió y se la alargó a su marido, que comió con ella. Se les abrieron los ojos a los dos, y descubrieron que estaban desnudos; entrelazaron hojas de higuera y se las ciñeron[10]. Oyeron al Señor Dios, que se paseaba por el jardín tomando el fresco. El hombre y su mujer se escondieron entre los árboles del jardín, para que el Señor Dios no los viera. Pero el Señor Dios llamó al hombre:

---

[10] *Se las ciñeron:* se las pusieron como vestido.

—¿Dónde estás?

Él contestó:

—Te oí en el jardín, me entró miedo porque estaba desnudo, y me escondí.

El Señor Dios le replicó:

—Y ¿quién te ha dicho que estabas desnudo? ¿A que has comido del árbol prohibido?

El hombre respondió:

—La mujer que me diste por compañera me alargó el fruto y comí.

El Señor Dios dijo a la mujer:

—¿Qué has hecho?

Ella respondió:

—La serpiente me engañó y comí.

El Señor Dios dijo a la serpiente:

—Por haber hecho eso, maldita tú entre todos los animales domésticos y salvajes; te arrastrarás sobre el vientre y comerás polvo toda tu vida; pongo hostilidad entre ti y la mujer, entre tu linaje[11] y el suyo: él herirá tu cabeza cuando tú hieras su talón.

A la mujer le dijo:

—Mucho te haré sufrir en tu preñez[12], parirás hijos con dolor, tendrás ansia[13] de tu marido, y él te dominará.

Al hombre le dijo:

—Porque le hiciste caso a tu mujer y comiste del árbol prohibido, maldito el suelo por tu culpa: comerás de él con fatiga mientras vivas; brotará para ti cardos y espinas, y comerás hierba del campo. Con sudor de tu frente comerás el pan, hasta que vuelvas a la tierra, porque de ella te sacaron; pues eres polvo y al polvo volverás.

---

[11] *Linaje:* descendencia.

[12] *Preñez:* embarazo.

[13] *Ansia:* deseo sexual.

El hombre llamó a su mujer Eva, por ser la madre de todos los que viven.

El señor Dios hizo pellizas[14] para el hombre y su mujer y se las vistió. Y el Señor Dios dijo:

—Si el hombre es ya como uno de nosotros[15], versado en el bien y el mal, ahora sólo le falta echar mano al árbol de la vida, tomar, comer y vivir para siempre.

Y el Señor Dios lo expulsó del paraíso, para que labrase la tierra de donde lo había sacado. Echó al hombre, y al oriente del jardín del Edén colocó a los querubines[16] y la espada llameante que oscilaba[17] para cerrar el camino del árbol de la vida.

3. CAÍN Y ABEL

Adán se unió a Eva, su mujer; ella concibió, dio a luz a Caín y dijo:

—He procreado un hombre con el Señor.

De nuevo dio a luz a su hermano, a Abel.

Abel era pastor de ovejas, Caín era labrador. Pasado un tiempo, Caín presentó de los frutos del campo una ofrenda al Señor.

---

[14] *Pelliza:* vestido de piel.

[15] Dios habla de sí mismo en plural, lo que a veces se ha interpretado como un resto de politeísmo en el texto (se referiría a «los dioses»). Sin embargo, también se puede interpretar como un plural mayestático, es decir, un falso plural con intención de mostrar la autoridad y dignidad de reyes, papas, etc.

[16] *Querubines:* ángeles alados encargados de proteger el árbol de la vida, cerrando su camino al hombre.

[17] *Espada llameante que oscilaba:* fuego que cortaba el paso al árbol de la vida.

También Abel presentó ofrendas de los primogénitos del rebaño y de la grasa. El Señor se fijó[18] en Abel y en su ofrenda y se fijó menos en Caín y su ofrenda. Caín se irritó sobremanera y andaba cabizbajo. El Señor dijo a Caín:

—¿Por qué te irritas, por qué andas cabizbajo? Si procedes bien, ¿no levantarías la cabeza? Pero si no procedes bien, a la puerta acecha[19] el pecado. Y aunque tiene ansia de ti, tú puedes dominarlo.

Caín dijo a su hermano Abel:

—Vamos al campo.

Y cuando estaban en el campo, se echó Caín sobre su hermano Abel y lo mató.

El Señor dijo a Caín:

—¿Dónde está Abel, tu hermano?

Contestó:

—No sé, ¿soy yo el guardián de mi hermano?

Replicó:

—¿Qué has hecho? La voz de la sangre de tu hermano clama a mí desde la tierra. Por eso te maldice esa tierra que ha abierto las fauces[20] para recibir de tu mano la sangre de tu hermano. Cuando cultives el campo, no te entregará su fertilidad. Andarás errante y vagando por el mundo.

Caín respondió al Señor:

—Mi culpa es demasiado grave para soportarla. Si hoy me expulsas de la superficie de la tierra y tengo que ocultarme de tu presencia, andaré errante y vagando por el mundo; y cualquiera que me encuentre, me matará.

Le respondió el Señor:

---

[18] *Fijarse:* apreciar, valorar.
[19] *Acecha:* aguarda silenciosamente, con algún propósito.
[20] *Fauces:* boca feroz y amenazante.

—No es así. El que mate a Caín lo pagará multiplicado por siete. Y el Señor marcó a Caín, para que no lo matara quien lo encontrara.

Caín se alejó de la presencia del Señor y habitó en Eres Nód, al este de Edén.

Caín se estableció al este del Edén, tal como Dios le había exigido, y allí fundó una ciudad, se unió a su mujer y tuvo varios hijos, que a su vez formaron sus respectivas familias. También Adán y Eva tuvieron un tercer hijo, Set. Pasaron varias generaciones y los descendientes de Caín y de Set continuaron poblando la tierra.

4. EL PECADO, EL DILUVIO Y EL ARCA DE NOÉ

Cuando los hombres se fueron multiplicando sobre la tierra y engendraron hijas, los hijos de Dios[21] vieron que las hijas del hombre eran bellas, escogieron algunas como esposas y se las llevaron. Pero el Señor se dijo:

—Mi aliento[22] no durará por siempre en el hombre; puesto que es de carne, no vivirá más que ciento veinte años.

En aquel tiempo —es decir, cuando los hijos de Dios se unieron a las hijas del hombre y engendraron hijos— habitaban la tierra los gigantes. Al ver el Señor que en la tierra crecía la maldad del hombre y que toda su actitud era siempre perversa, se arrepintió de haber creado al hombre en la tierra, y le pesó de corazón. Y dijo:

---

[21] *Hijos de Dios:* ángeles
[22] *Aliento:* aquello que mantiene al cuerpo con vida.

—Borraré de la superficie de la tierra al hombre que he creado; al hombre con los cuadrúpedos[23], reptiles y aves, pues me arrepiento de haberlos hecho.

Pero Noé alcanzó el favor del Señor. Noé fue en su época un hombre recto y honrado, y trataba con Dios[24]. La tierra estaba corrompida ante Dios y llena de crímenes. Dios vio la tierra corrompida, porque todos los vivientes de la tierra se habían corrompido en su proceder. El Señor dijo a Noé:

—Veo que todo lo que vive tiene que terminar, pues por su culpa la tierra está llena de crímenes; los voy a exterminar con la tierra. Tú fabrícate un arca de madera resinosa[25] con compartimentos, y calafatéala[26] por dentro y por fuera. Sus dimensiones serán: ciento cincuenta metros de largo, veinticinco de ancho y quince de alto. Haz un tragaluz[27] a medio metro del remate; una puerta al costado y tres cubiertas superpuestas. Voy a enviar el diluvio a la tierra, para que extermine a todo viviente que respira bajo el cielo; todo lo que hay en la tierra perecerá. Pero hago un pacto contigo: entra en el arca con tu mujer, tus hijos y sus mujeres. Toma una pareja de cada viviente, es decir, macho y hembra, y métela en el arca, para que conserve la vida contigo: pájaros por especies, cuadrúpedos por especies, reptiles por especies; de cada una entrará una pareja contigo para conservar la vida. Reúne toda clase de alimentos y almacénalos para ti y para ellos.

Noé hizo todo lo que le mandó Dios. El Señor dijo a Noé:

---

[23] *Cuadrúpedo:* animal de cuatro patas.
[24] *Trataba con Dios:* tenía una relación especial con Dios, aunque no sabemos de qué tipo.
[25] *Madera resinosa:* madera que contiene mucha resina, un producto natural que no se diluye en el agua.
[26] *Calafatear:* cerrar las junturas de las maderas para que no entre el agua.
[27] *Tragaluz:* ventana abierta en el techo.

—Entra en el arca con toda tu familia, pues tú eres el único hombre honrado que he encontrado en tu generación. De cada animal puro[28] toma siete parejas, macho y hembra; de los no puros, una pareja, macho y hembra; y lo mismo de los pájaros, siete parejas, macho y hembra, para que conserven la especie en la tierra. Dentro de siete días haré llover sobre la tierra cuarenta días con sus noches, y borraré de la faz de la tierra a todos los seres que he creado.

Noé hizo todo lo que le mandó el Señor. Tenía Noé seiscientos años cuando vino el diluvio a la tierra.

Noé entró en el arca con sus hijos, mujer y nueras, refugiándose del diluvio. De los animales puros e impuros, de las aves y reptiles, entraron parejas en el arca detrás de Noé, como Dios se lo había mandado.

Pasados siete días vino el diluvio a la tierra. Tenía Noé seiscientos años cuando reventaron las fuentes del océano y se abrieron las compuertas del cielo. Era exactamente el diecisiete del mes segundo. Estuvo lloviendo sobre la tierra cuarenta días con sus noches. Aquel mismo día entró Noé en el arca con sus hijos, Sem, Cam y Jafet, su mujer, sus tres nueras, y también animales de todas clases: cuadrúpedos por especies, reptiles por especies y aves por especies (pájaros de todo plumaje); entraron con Noé en el arca parejas de todos los vivientes que respiran, entraron macho y hembra de cada especie, como lo había mandado Dios. Y el Señor cerró el arca por fuera.

El diluvio cayó durante cuarenta días sobre la tierra. El agua, al crecer, levantó el arca, de modo que iba más alta que el suelo. El agua se hinchaba y crecía sin medida sobre la tierra, y el arca flotaba

---

[28] Entre los judíos, los animales se dividen en puros (que se pueden comer) e impuros (que no se pueden comer, como, por ejemplo, el cerdo).

sobre el agua; el agua crecía más y más sobre la tierra, hasta cubrir las montañas más altas bajo el cielo; el agua alcanzó una altura de siete metros y medio por encima de las montañas. Y perecieron todos los seres vivientes que se mueven en la tierra: aves, ganado y fieras y todo lo que bulle en la tierra; y todos los hombres. Todo lo que respira por la nariz con aliento de vida, todo lo que había en la tierra firme, murió. Quedó borrado todo lo que se yergue[29] sobre el suelo; hombres, ganado, reptiles y aves del cielo fueron borrados de la tierra; solo quedó Noé y los que estaban con él en el arca.

El agua dominó sobre la tierra ciento cincuenta días. Entonces Dios se acordó de Noé y de todas las fieras y ganado que estaban con él en el arca; hizo soplar el viento sobre la tierra, y el agua comenzó a bajar; se cerraron las fuentes del océano y las compuertas del cielo, y cesó la lluvia del cielo. El agua se fue retirando de la tierra y disminuyó, de modo que a los ciento cincuenta días, el día diecisiete del mes séptimo, el arca encalló en los montes de Ararat. El agua fue disminuyendo hasta el mes décimo, y el día primero de ese mes asomaron los picos de las montañas.

Pasados cuarenta días, Noé abrió el tragaluz que había hecho en el arca y soltó el cuervo, que voló de un lado para otro, hasta que se secó el agua en la tierra. Después soltó la paloma, para ver si el agua sobre la superficie estaba ya somera[30]. La paloma, no encontrando dónde posarse, volvió al arca con Noé, porque todavía había agua sobre la superficie. Noé alargó el brazo, la agarró y la metió consigo en el arca.

Esperó otros siete días y de nuevo soltó la paloma desde el arca; ella volvió al atardecer con una hoja de olivo arrancada en el pico. Noé comprendió que el agua sobre la tierra estaba somera; esperó otros siete días, y soltó la paloma, que ya no volvió.

---

[29] *Erguir:* levantarse o ir derecho.
[30] *Somera:* muy baja, ya casi inexistente.

El año seiscientos uno, el día primero del primer mes se secó el agua en la tierra. Noé abrió el tragaluz del arca, miró y vio que la superficie estaba seca; el día diecisiete del mes segundo la tierra estaba seca. Entonces dijo Dios a Noé:

—Sal del arca con tus hijos, tu mujer y tus nueras; todos los seres vivientes que estaban contigo, todos los animales, aves, cuadrúpedos o reptiles, hazlos salir contigo, para que bullan por la tierra y crezcan y se multipliquen en la tierra.

Salió, pues, Noé con sus hijos, su mujer y sus nueras; y todos los animales, cuadrúpedos, aves y reptiles salieron por grupos del arca. Noé construyó un altar al Señor, tomó animales y aves de toda especie pura y los ofreció en holocausto[31] sobre el altar. El Señor olió el aroma que aplaca[32] y se dijo: «No volveré a maldecir la tierra a causa del hombre. Sí, el corazón del hombre se pervierte desde la juventud; pero no volveré a matar a los vivientes como acabo de hacerlo. Mientras dure la tierra no han de faltar siembra y cosecha, frío y calor, verano e invierno, día y noche». Dios bendijo a Noé y a sus hijos diciéndoles:

—Creced, multiplicaos y llenad la tierra. Todos los animales de la tierra os temerán y respetarán: aves del cielo, reptiles del suelo, peces del mar, están en vuestro poder. Todo lo que vive y se mueve os servirá de alimento: os lo entrego lo mismo que los vegetales. Pero no comáis carne con sangre, que es su vida[33]. Pediré cuentas de vuestra sangre y vida, se las pediré a cualquier animal; y al hombre le pediré cuentas de la vida de su hermano. Si uno derrama la sangre de un hombre, otro hombre su sangre

---

[31] *Holocausto:* sacrificio.
[32] *Aplaca:* amansa, suaviza.
[33] Se piensa que la vida corre por la sangre. Como la vida le pertenece solo a Dios, está prohibido comer ningún animal vivo, así como la sangre de un animal muerto.

derramará; porque Dios hizo al hombre a su imagen. Vosotros creced y multiplicaos, moveos por la tierra y dominadla. —Dios dijo a Noé y a sus hijos—: Yo hago un pacto con vosotros y con vuestros descendientes, con todos los animales que os acompañaron: aves, ganado y fieras; con todos los que salieron del arca y ahora viven en la tierra. Hago un pacto con vosotros: el diluvio no volverá a destruir la vida ni habrá otro diluvio que devaste la tierra.

Y Dios añadió:

—Esta es la señal del pacto que hago con vosotros y con todo lo que vive con vosotros, para todas las edades: pondré mi arco[34] en el cielo, como señal de mi pacto con la tierra. Cuando yo envíe nubes sobre la tierra, aparecerá en las nubes el arco, y recordaré mi pacto con vosotros y con todos los animales, y el diluvio no volverá a destruir a los vivientes. Saldrá el arco en las nubes, y al verlo recordaré mi pacto perpetuo: Pacto de Dios con todos los seres vivos, con todo lo que vive en la tierra. —Dios dijo a Noé—: Esta es la señal del pacto que hago con todo lo que vive en la tierra.

5. NOÉ, PADRE DEL VINO

Los hijos de Noé que salieron del arca eran Sem, Cam y Jafet (Cam es antepasado de Canaán). Estos son los tres hijos de Noé que se propagaron por toda la tierra.

Noé, que era labrador, fue el primero que plantó una viña. Bebió el vino, se emborrachó y se desnudó en medio de su tienda. Cam (antecesor de Canaán) vio la desnudez de su padre y salió a contárselo a sus hermanos. Sem y Jafet tomaron una capa, se la echaron sobre los hombros de ambos y caminando de espaldas

---

[34] Se refiere al arco iris.

cubrieron la desnudez de su padre. Vueltos de espaldas, no vieron la desnudez de su padre.

Cuando se le pasó la borrachera a Noé y se enteró de lo que le había hecho su hijo menor, dijo:

—¡Maldito Canaán! Sea siervo de los siervos de sus hermanos. —Y añadió—: ¡Benditas del Señor las tiendas de Sem! Canaán será su siervo. Dilate[35] Dios a Jafet, habite en las tiendas de Sem. Canaán será su siervo.

Noé vivió después del diluvio trescientos cincuenta años, y a la edad de novecientos cincuenta murió.

6. La torre de Babel

El mundo entero hablaba la misma lengua con las mismas palabras. Al emigrar de oriente, encontraron una llanura en el país de Senaar, y se establecieron allí. Y se dijeron unos a otros:

—Vamos a preparar ladrillos y a cocerlos.

Y dijeron:

—Vamos a construir una ciudad y una torre que alcance al cielo, para hacernos famosos y para no dispersarnos por la superficie de la tierra.

El Señor bajó a ver la ciudad y la torre que estaban construyendo los hombres; y se dijo:

—Son un solo pueblo con una sola lengua. Si esto no es más que el comienzo de su actividad, nada de lo que decidan hacer les resultará imposible.

Vamos a bajar y a confundir su lengua, de modo que uno no entienda la lengua del prójimo. El Señor los dispersó por la superficie de la tierra y dejaron de construir la ciudad. Por eso se llama

---

[35] *Dilatar:* alargar (en este caso alargar la vida).

Babel, porque allí confundió el Señor la lengua de toda la tierra, y desde allí los dispersó por la superficie de la tierra.

7. SALIDA DE ABRÁN

El Señor dijo a Abrán[36]:
—Sal de tu tierra nativa y de la casa de tu padre, a la tierra que te mostraré. Haré de ti un gran pueblo, te bendeciré, haré famoso tu nombre, y servirá de bendición. Bendeciré a los que te bendigan, maldeciré a los que te maldigan. Con tu nombre se bendecirán todas las familias del mundo.

Abrán marchó, como le había dicho el Señor, y con él marchó Lot. Abrán tenía setenta y cinco años cuando salió de Jarán. Abrán llevó consigo a Saray, su mujer; a Lot, su sobrino; todo lo que había adquirido y todos los esclavos que había ganado en Jarán. Salieron en dirección de Canaán y llegaron a la tierra de Canaán. Abrán atravesó el país hasta la región de Siquén y llegó a la encina de Moré (en aquel tiempo habitaban allí los cananeos). El Señor se apareció a Abrán y le dijo:

—A tu descendencia le daré esta tierra.

Él construyó allí un altar en honor del Señor, que se le había aparecido. Desde allí continuó hacia las montañas al este de Betel, y plantó allí su tienda, con Betel a poniente y Ay a levante; construyó allí un altar al Señor e invocó el nombre del Señor. Abrán se trasladó por etapas al Negueb.

---

[36] A partir de aquí comienzan las narraciones de los patriarcas, los padres y fundadores del pueblo de Israel. Abrán (más tarde Abraham) es el primero de ellos.

Abrán y Lot tuvieron que emigrar durante un tiempo a Egipto, dada la carestía que asoló aquellas tierras. Después regresaron, cada uno con una gran cantidad de pastores acompañándoles. Como surgieron algunos conflictos entre los pastores de Abrán y los de Lot, decidieron separarse: Lot se marchó a la zona de la vega del Jordán, muy fértil, y a Abrán le correspondió la tierra de Canaán.

Dios se apareció a Abrán y le prometió que tendría una gran descendencia, tan numerosa como las estrellas del cielo, que habitaría en aquella tierra. Abrán había abandonado su pueblo natal, Ur de los caldeos, para ser el padre de un gran pueblo, que tendría que pasar sufrimientos y tribulaciones a lo largo de su historia, pero al que el Señor nunca abandonaría.

8. Nacimiento de Ismael

Saray, la mujer de Abrán, no le daba hijos; pero tenía una sierva egipcia llamada Agar.

Y Saray dijo a Abrán:

—El Señor no me deja tener hijos; llégate a mi sierva a ver si ella me da hijos. Abrán aceptó la propuesta.

A los diez años de habitar Abrán en Canaán, Saray, la mujer de Abrán, tomó a Agar, la esclava egipcia, y se la dio a Abrán, su marido, como esposa. Él se llegó a Agar y ella concibió. Y al verse encinta[37] le perdió el respeto a su señora. Entonces Saray dijo a Abrán:

—Tú eres responsable de esta injusticia; yo he puesto en tus brazos a mi esclava, y ella, al verse encinta, me pierde el respeto. Sea el Señor nuestro juez.

Abrán dijo a Saray:

---

[37] *Encinta:* embarazada.

—De tu esclava dispones tú; trátala como te parezca.

Saray la maltrató y ella se escapó. El ángel del Señor la encontró junto a la fuente del desierto, la fuente del camino de Sur, y le dijo:

—Agar, esclava de Saray, ¿de dónde vienes y adónde vas?

Ella respondió:

—Vengo huyendo de mi señora.

El ángel del Señor le dijo:

—Vuelve a tu señora y sométete a ella. —Y el ángel del Señor añadió—: Haré tan numerosa tu descendencia, que no se podrá contar. —Y el ángel del Señor concluyó—: Mira, estás encinta y darás a luz un hijo y lo llamarás Ismael, porque el Señor te ha escuchado en la aflicción. Será un potro salvaje: él contra todos y todos contra él; vivirá separado de sus hermanos.

Agar invocó el nombre del Señor, que le había hablado: «Tú eres Dios, que me ve», diciéndose: «¡He visto al que me ve!».

Por eso se llama aquel pozo «Pozo del que vive y me ve», y está entre Cades y Bared.

Agar dio un hijo a Abrán, y Abrán llamó Ismael al hijo que le había dado Agar. Abrán tenía ochenta y seis años cuando Agar dio a luz a Ismael.

9. ALIANZA DE DIOS CON ABRAHAM

Cuando Abrán tenía noventa y nueve años, se le apareció el Señor y le dijo:

—Yo soy Dios Todopoderoso. Actúa de acuerdo conmigo y sé honrado, y haré una alianza contigo: haré que te multipliques sin medida.

Abrán cayó rostro en tierra y Dios le habló así:

—Mira, este es mi pacto contigo: serás padre de una multitud de pueblos. Ya no te llamarás Abrán, sino Abraham, porque te hago padre de una multitud de pueblos. Te haré fecundo sin medida, sacando pueblos de ti, y reyes nacerán de ti. Mantendré mi pacto contigo y con tu descendencia en futuras generaciones, como pacto perpetuo. Seré tu Dios y el de tus descendientes futuros. Os daré a ti y a tu descendencia futura la tierra de tus andanzas (la tierra de Canaán) como posesión perpetua. Y seré su Dios.

Dios pidió a Abraham que, como parte de la alianza, circuncidara[38] a todos los varones de su pueblo, incluidos los esclavos. Abraham se circuncidó y mandó circuncidar a su hijo Ismael, a sus esclavos, y a todos los varones de la casa. Esta es una práctica que los judíos y los musulmanes mantienen hasta hoy en día.

Dios dijo a Abraham:
—Saray, tu mujer, ya no se llamará Saray, sino Sara. La bendeciré y te dará un hijo y lo bendeciré; de ella nacerán pueblos y reyes de naciones.

10. Anuncio del nacimiento de Isaac

El Señor se apareció a Abraham junto al encinar de Mambré, mientras él estaba sentado a la puerta de la tienda, porque apretaba el calor. Alzó la vista y vio a tres hombres de pie frente a él. Al verlos, corrió a su encuentro desde la puerta de la tienda y prosternándose[39] en tierra dijo:

---

[38] *Circuncidar:* cortar una parte del prepucio.
[39] *Prosternarse:* arrodillarse.

—Señor, si he alcanzado tu favor, no pases de largo junto a tu siervo. Haré que traigan agua para que os lavéis los pies y descanséis bajo el árbol. Mientras, ya que pasáis junto a vuestro siervo, traeré un pedazo de pan para que cobréis fuerzas antes de seguir.

Contestaron:

—Bien, haz lo que dices.

Abraham entró corriendo en la tienda donde estaba Sara y le dijo:

—Aprisa, veintiún litros de flor de harina, amásalos y haz una hogaza.

Él corrió a la vacada[40], escogió un ternero hermoso y se lo dio a un criado para que lo guisase enseguida. Tomó requesón, leche, el ternero guisado y se lo sirvió. Él les atendía bajo el árbol mientras ellos comían. Después le dijeron:

—¿Dónde está Sara, tu mujer?

Contestó:

—Ahí, en la tienda.

Y añadió uno:

—Para cuando yo vuelva a verte, en el plazo normal, Sara habrá tenido un hijo.

Sara lo oyó, detrás de la puerta de la tienda. (Abraham y Sara eran ancianos, de edad muy avanzada, y Sara ya no tenía sus períodos). Sara se rio por lo bajo, pensando: «Cuando ya estoy seca, ¿voy a tener placer, con un marido tan viejo?».

Pero el Señor dijo a Abraham:

—¿Por qué se ha reído Sara, diciendo: «Cómo que voy a tener un hijo, a mis años»? ¿Hay algo difícil para Dios? Cuando vuelva a visitarte por esta época, dentro del tiempo de costumbre, Sara habrá tenido un hijo.

Pero Sara, que estaba asustada, lo negó:

---

[40] *Vacada:* conjunto de ganado vacuno.

—No me he reído.

Él replicó:

—No lo niegues, te has reído.

11. SODOMA Y GOMORRA

Los hombres se levantaron y dirigieron la mirada a Sodoma; Abraham los fue a acompañar para despedirlos. El Señor se dijo: «¿Puedo ocultarle a Abraham lo que voy a hacer? Abraham llegará a ser un pueblo grande y numeroso; por él serán benditos todos los pueblos de la tierra. Lo he escogido para que instruya a sus hijos, a su casa y sucesores, a mantenerse en el camino del Señor, practicando la justicia y el derecho. Así cumplirá el Señor a Abraham cuanto le ha prometido». Después dijo el Señor:

—La denuncia contra Sodoma y Gomorra es seria y su pecado es gravísimo. Voy a bajar para averiguar si sus acciones responden realmente a la denuncia.

Los hombres se volvieron y se dirigieron a Sodoma, mientras el Señor seguía en compañía de Abraham. Entonces Abraham se acercó y dijo:

—¿De modo que vas a destruir al inocente con el culpable? Supongamos que hay en la ciudad cincuenta inocentes, ¿los destruirías en vez de perdonar al lugar en atención a los cincuenta inocentes que hay en él? ¡Lejos de ti hacer tal cosa! Matar al inocente con el culpable, confundiendo al inocente con el culpable. ¡Lejos de ti! El juez de todo el mundo ¿no hará justicia?

El Señor respondió:

—Si encuentro en la ciudad de Sodoma cincuenta inocentes, perdonaré a toda la ciudad en atención a ellos.

Abraham repuso:

—Me he atrevido a hablar a mi señor, yo que soy polvo y ceniza. Supongamos que faltan cinco inocentes para los cincuenta, ¿destruirás por cinco toda la ciudad?

Contestó:

—No la destruiré si encuentro allí los cuarenta y cinco.

Abraham insistió:

—Supongamos que se encuentran cuarenta.

Respondió:

—No lo haré en atención a los cuarenta.

Abraham siguió:

—Que no se enfade mi señor si insisto. Supongamos que se encuentran treinta.

Respondió:

—No lo haré si encuentro allí treinta.

Insistió:

—Me he atrevido a hablar a mi señor. Supongamos que se encuentran veinte.

Respondió:

—No la destruiré, en atención a los veinte.

Abraham siguió:

—Que no se enfade mi señor si hablo una vez más. Supongamos que se encuentran allí diez.

Respondió:

—En atención a los diez no la destruiré.

Cuando terminó de hablar con Abraham, el Señor se marchó y Abraham volvió a su lugar. Los dos ángeles llegaron a Sodoma por la tarde. Lot, que estaba sentado a la puerta de la ciudad, al verlos, se levantó a recibirlos y se prosternó rostro en tierra. Y dijo:

—Señores míos, pasad a hospedaros a casa de vuestro siervo. Lavaos los pies y por la mañana seguiréis vuestro camino.

Contestaron:

—No; pasaremos la noche en la plaza.

Pero él insistió tanto, que pasaron y entraron en su casa. Les preparó comida, coció panes y ellos comieron. Aún no se habían acostado, cuando los hombres de la ciudad rodearon la casa: jóvenes y viejos, toda la población hasta el último. Y le gritaban a Lot:

—¿Dónde están los hombres que han entrado en tu casa esta noche? Sácalos para que nos acostemos con ellos.

Lot se asomó a la entrada, cerrando la puerta al salir, y les dijo:

—Hermanos míos, no seáis malvados. Mirad, tengo dos hijas que no han tenido que ver con hombres; os las sacaré para que las tratéis como queráis, pero no hagáis nada a estos hombres que se han cobijado bajo mi techo.

Contestaron:

—Quítate de ahí; este individuo ha venido como inmigrante y ahora se mete a juez. Pues ahora te trataremos a ti peor que a ellos.

Y empujaban a Lot intentando forzar la puerta. Pero los visitantes alargaron el brazo, metieron a Lot en casa y cerraron la puerta. Y a los que estaban a la puerta, pequeños y grandes, los cegaron, de modo que no daban con la puerta. Los visitantes dijeron a Lot:

—Si hay alguien más de los tuyos, yernos, hijos, hijas, a todos los tuyos de la ciudad sácalos de este lugar. Pues vamos a destruir este lugar, porque la acusación presentada al Señor contra él es muy seria, y el Señor nos ha enviado para destruirlo.

Lot salió a decirles a sus yernos (prometidos de sus hijas):

—Vamos, salid de este lugar, que el Señor va a destruir la ciudad.

Pero ellos lo tomaron a broma. Al amanecer, los ángeles urgieron a Lot:

—Anda, toma a tu mujer y a esas dos hijas tuyas, para que no perezcan por culpa de la ciudad.

Y como no se decidía, los agarraron de la mano, a él, a su mujer y a las dos hijas, a quienes el Señor perdonaba; los sacaron y los guiaron fuera de la ciudad. Una vez fuera, le dijeron:

—Ponte a salvo; no mires atrás. No te detengas en la vega; ponte a salvo en los montes para no perecer.

Lot les respondió:

—No. Vuestro siervo goza de vuestro favor, pues me habéis salvado la vida tratándome con gran misericordia; yo no puedo ponerme a salvo en los montes, el desastre me alcanzará y moriré. Mira, ahí cerca hay una ciudad pequeña donde puedo refugiarme y escapar del peligro. Como la ciudad es pequeña, salvaré allí la vida.

Le contestó:

—Accedo a lo que pides: no arrasaré esa ciudad que dices. Aprisa, ponte a salvo allí, pues no puedo hacer nada hasta que llegues.

Por eso la ciudad se llama Zoar. Cuando Lot llegó a Zoar, salía el sol.

El Señor desde el cielo hizo llover azufre y fuego sobre Sodoma y Gomorra. Arrasó aquellas ciudades y toda la vega con los habitantes de las ciudades y la hierba del campo. La mujer de Lot miró atrás y se convirtió en estatua de sal.

Abraham madrugó y se dirigió al sitio donde había estado con el Señor. Miró en dirección de Sodoma y Gomorra, toda la extensión de la vega, y vio una humareda que subía del suelo, como el humo de un horno. Así, cuando Dios destruyó las ciudades de la vega, arrasando las ciudades donde había vivido Lot, se acordó de Abraham y libró a Lot de la catástrofe.

12. LAS HIJAS DE LOT

Lot subió de Zoar y se instaló en el monte con sus dos hijas, pues temía habitar en Zoar; así pues se instaló en una cueva con sus dos hijas. La mayor dijo a la menor:

—Nuestro padre ya es viejo y en la tierra ya no hay un hombre que se acueste con nosotras como se hace en todas partes. Vamos a emborrachar a nuestro padre y nos acostamos con él: así daremos vida a un descendiente de nuestro padre.

Aquella noche embriagaron a su padre y la mayor se acostó con él, sin que él se diese cuenta cuando ella se acostó y se levantó. Al día siguiente la mayor dijo a la menor:

—Anoche me acosté yo con mi padre. Vamos a embriagarlo también esta noche y tú te acuestas con él: así daremos vida a un descendiente de nuestro padre.

Embriagaron también aquella noche a su padre, y la menor fue y se acostó con él, sin que él se diese cuenta cuando ella se acostó y se levantó. Quedaron encintas las dos hijas de Lot, de su padre. La mayor dio a luz un hijo y lo llamó Moab, diciendo: «De mi padre» (es el antecesor del Moab actual). También la menor dio a luz un hijo y lo llamó Amón, diciendo: «Hijo de mi pueblo» (es el antecesor de los amonitas actuales).

13. NACIMIENTO DE ISAAC

Como lo había prometido, el Señor se ocupó de Sara, el Señor realizó con Sara lo que había anunciado. Sara concibió y dio un hijo al viejo Abraham en la fecha que le había anunciado Dios. Al hijo que le había nacido, que había dado a luz Sara, Abraham lo llamó Isaac. Abraham circuncidó a su hijo Isaac el octavo día, como le había mandado Dios. Cien años tenía Abraham cuando le nació su hijo Isaac. Sara comentó:

—El Señor me ha hecho reír: los que se enteren reirán conmigo. —Y añadió—: ¿Quién le habría dicho a Abraham que Sara iba a criar hijos? ¡Pues le he dado un hijo en su vejez!

El niño creció y lo destetaron[41]. Abraham ofreció un gran banquete el día que destetaron a Isaac. Pero Sara vio que el hijo que Abraham había tenido de Agar la egipcia jugaba con Isaac, y dijo a Abraham:

—Expulsa a esa sierva y a su hijo, pues no heredará el hijo de esa sierva con mi hijo, con Isaac.

Abraham se llevó un gran disgusto a causa de su hijo. Pero Dios dijo a Abraham:

—No te aflijas por el muchacho y por la sierva. En todo lo que te dice hazle caso a Sara. Pues es Isaac quien prolongará tu descendencia. Aunque también del hijo de la sierva sacaré un gran pueblo[42], pues es descendiente tuyo.

Abraham madrugó, tomó pan y un odre[43] de agua, se lo cargó a hombros a Agar y la despidió con el niño. Ella se marchó y fue vagando por el desierto de Beerseba. Cuando se le acabó el agua del odre, colocó al niño debajo de unas mantas; se apartó y se sentó a solas a la distancia de un tiro de arco, diciéndose: «No puedo ver morir a mi hijo». Y se sentó a distancia. El niño rompió a llorar. Dios oyó la voz del niño, y el ángel de Dios llamó a Agar desde el cielo, preguntándole:

—¿Qué te pasa, Agar? No temas, que Dios ha oído la voz del niño que está ahí. Levántate, toma al niño, estate tranquila por él, porque sacaré de él un gran pueblo.

---

[41] *Destetar:* hacer que un niño deje de mamar.
[42] La tradición dice que los descendientes de Ismael, los ismaelitas, son el pueblo árabe.
[43] *Odre:* saco de piel de cabra que sirve para contener líquidos.

Dios le abrió los ojos y divisó un pozo de agua; fue allá, llenó el odre y dio de beber al muchacho. Dios estaba con el muchacho, que creció, habitó en el desierto y se hizo un experto arquero; vivió en el desierto de Farán, y su madre le buscó una mujer egipcia.

14. SACRIFICIO DE ISAAC

Después de estos sucesos, Dios puso a prueba a Abraham, diciéndole:

—¡Abraham!

Respondió:

—Aquí me tienes.

Dios le dijo:

—Toma a tu hijo único, a tu querido Isaac, vete al país de Moria y ofrécemelo allí en sacrificio en uno de los montes que yo te indicaré.

Abraham madrugó, aparejó el asno y se llevó a dos criados y a su hijo Isaac; cortó leña para el sacrificio y se encaminó al lugar que le había indicado Dios. Al tercer día, levantó Abraham los ojos y divisó el sitio a lo lejos. Abraham dijo a sus criados:

—Quedaos aquí con el asno; yo y el muchacho iremos hasta allá para adorar a Dios, y después volveremos con vosotros.

Abraham tomó la leña para el holocausto, se la cargó a su hijo Isaac y él llevaba el fuego y el cuchillo. Los dos caminaban juntos. Isaac dijo a Abraham, su padre:

—Padre.

Él respondió:

—Aquí estoy, hijo mío.

El muchacho dijo:

—Tenemos fuego y leña, pero ¿dónde está el cordero para el holocausto?

Abraham le contestó:

—Dios proveerá el cordero para el holocausto, hijo mío.

Y siguieron caminando juntos. Cuando llegaron al sitio que le había dicho Dios, Abraham levantó allí un altar y apiló la leña, luego ató a su hijo Isaac y lo puso sobre el altar, encima de la leña. Entonces Abraham tomó el cuchillo para degollar a su hijo; pero el ángel del Señor le gritó desde el cielo:

—¡Abraham, Abraham!

Él contestó:

—Aquí estoy.

Dios le ordenó:

—No alargues la mano contra tu hijo ni le hagas nada. Ya he comprobado que respetas a Dios, porque no me has negado a tu hijo, tu único hijo.

Abraham levantó los ojos y vio un carnero enredado por los cuernos en los matorrales. Abraham se acercó, tomó el carnero y lo ofreció en sacrificio en lugar de su hijo. Abraham llamó a aquel sitio «El Señor provee»; por eso se dice aún hoy «el monte donde el Señor provee».

Abraham e Isaac regresaron a casa. Dios, con su terrible petición, además de probar la fidelidad de Abraham, había demostrado que no desea sacrificios humanos (pues estos eran muy frecuentes entre distintos pueblos de la región en aquella época). Al cabo de muchos años murió Sara, y Abraham, preocupado por el futuro de su hijo, pidió a uno de sus criados que fuera a su tierra natal para buscar a la muchacha que habría de casarse con Isaac. El criado emprendió el viaje, y en aquella lejana tierra encontró a Rebeca, hija de un hermano de Abraham, a la que trajo a Canaán. Abraham murió, muy anciano y colmado de riquezas.

15. ESAÚ Y JACOB

Cuando Isaac tenía cuarenta años, tomó por esposa a Rebeca, hija de Betuel, arameo de Padán Aram, y hermana de Labán, arameo. Isaac rezó a Dios por su mujer, que era estéril. El Señor le escuchó y Rebeca, su mujer, concibió. Pero las criaturas se maltrataban en su vientre y ella dijo:

—En estas condiciones, ¿vale la pena vivir? —Y fue a consultar al Señor.

El Señor le respondió:

—Dos naciones hay en tu vientre, dos pueblos se separan en tus entrañas: un pueblo vencerá al otro y el mayor servirá al menor.

Cuando llegó el parto, resultó que tenía gemelos en el vientre.

Salió primero uno, todo tapado y peludo como un manto, y lo llamaron Esaú. Detrás salió su hermano, agarrando con la mano del talón de Esaú, y lo llamaron Jacob. Tenía Isaac sesenta años cuando nacieron.

Crecieron los chicos. Esaú se hizo un experto cazador, hombre agreste, mientras que Jacob se hizo honrado beduino. Isaac prefería a Esaú porque le gustaban los platos de caza, Rebeca prefería a Jacob. Un día que Jacob estaba guisando un potaje, volvía Esaú agotado del campo. Esaú dijo a Jacob:

—Déjame tragar esas lentejas, que estoy agotado.

Respondió Jacob:

—Si me vendes ahora mismo tus derechos de primogenitura[44].

Esaú replicó:

---

[44] El hijo mayor, el primogénito, era el que heredaba las posesiones familiares.

—Yo estoy que me muero: ¿qué me importan los derechos de primogénito?

Dijo Jacob:

—Júramelo ahora mismo. Se lo juró y vendió a Jacob sus derechos de primogénito.

Jacob dio a Esaú pan con potaje de lentejas. Él comió, bebió, se alzó, se fue y así malvendió Esaú sus derechos de primogénito.

16. ISAAC BENDICE A JACOB

Cuando Isaac se hizo viejo y perdió la vista, llamó a Esaú, su hijo mayor, y le dijo:

—¡Hijo mío!

Le contestó:

—Aquí estoy.

Le dijo:

—Mira, ya estoy viejo y no sé cuándo voy a morir. Así que toma tus aparejos[45], arco y aljaba[46], y sal a descampado a cazarme alguna pieza. Después me la guisas como a mí me gusta y me la traes para que la coma. Pues quiero darte mi bendición antes de morir.

Rebeca escuchaba lo que Isaac decía a su hijo Esaú. Esaú salió a descampado para cazar y traer alguna pieza. Rebeca dijo a su hijo Jacob:

—He oído a tu padre que decía a Esaú tu hermano: «Tráeme una pieza y guísamela, que la coma; pues quiero bendecirte en presencia del Señor antes de morir». Ahora, hijo mío, obedece mis instrucciones: vete al rebaño, selecciona dos cabritos hermo-

---

[45] *Aparejos:* objetos necesarios para cazar.
[46] *Aljaba:* caja que contiene las flechas.

sos y yo se los guisaré a tu padre como a él le gusta. Tú se lo llevarás a tu padre para que coma; y así te bendecirá antes de morir.

Replicó Jacob a Rebeca su madre:

—Sabes que Esaú mi hermano es peludo y yo soy lampiño[47]. Si mi padre me palpa y quedo ante él como embustero, me acarrearé maldición en vez de bendición.

Su madre le dijo:

—Yo cargo con la maldición, hijo mío. Tú obedece, ve y trae los cabritos.

Él fue, los escogió y se los trajo a su madre; y su madre los guisó como le gustaba a su padre. Rebeca tomó el traje de su hijo mayor, Esaú, el traje de fiesta que guardaba en el arcón, y se lo vistió a Jacob, su hijo menor. Con la piel de los cabritos le cubrió las manos y la parte lisa del cuello. Después puso en manos de su hijo Jacob el guiso que había preparado con el pan. Él entró adonde estaba su padre y le dijo:

—Padre mío.

Le contestó.

—Aquí estoy.

—¿Quién eres tú, hijo mío?

Jacob respondió a su padre:

—Yo soy Esaú, tu primogénito. He hecho lo que me mandaste. Incorpórate, siéntate y come de la caza; y después me bendecirás.

Isaac dijo a su hijo:

—¡Qué prisa te has dado para encontrarla, hijo mío!

Le contestó:

—Es que el Señor tu Dios me la puso al alcance.

Isaac dijo a Jacob:

—Acércate que te palpe, hijo mío, a ver si eres tú mi hijo Esaú o no.

---

[47] *Lampiño:* que tiene poco pelo.

Se acercó Jacob a Isaac, su padre, el cual palpándolo dijo:

—La voz es la voz de Jacob, las manos son las manos de Esaú.

No le reconoció porque sus manos eran peludas como las de su hermano Esaú. Y se dispuso a bendecirlo. Preguntó:

—¿Eres tú mi hijo Esaú?

Contestó:

—Lo soy.

Le dijo:

—Hijo mío, acércame la caza, que coma; y después te bendeciré.

Se la acercó y comió, luego le sirvió vino, y bebió. Isaac, su padre, le dijo:

—Acércate y bésame; hijo mío. —Se acercó y lo besó. Y al oler el aroma del traje, lo bendijo diciendo—: Mira, el aroma de mi hijo como aroma de un campo que ha bendecido el Señor. Que Dios te conceda rocío del cielo, feracidad[48] de la tierra, abundancia de grano y mosto. Que te sirvan pueblos y te rindan vasallaje naciones. Sé señor de tus hermanos, que te rindan vasallaje los hijos de tu madre. ¡Maldito quien te maldiga, bendito quien te bendiga!

Apenas terminó Isaac de bendecir a Jacob, mientras salía Jacob de donde estaba su padre, Esaú volvía de cazar. También él hizo un guiso, se lo llevó a su padre y dijo a su padre:

—Incorpórese, padre, y coma de la caza de su hijo; y así me bendecirá.

Su padre Isaac le preguntó:

—¿Quién eres?

Contestó:

—Soy tu primogénito, Esaú.

Isaac fue presa de un terror espantoso y dijo:

---

[48] *Feracidad:* fertilidad.

—Entonces ¿quién es el que fue a cazar y me lo trajo y comí de todo antes de que tú llegaras? Lo he bendecido y será bendecido.

Al oír Esaú las palabras de su padre, dio un grito atroz, lleno de amargura y pidió a su padre:

—Bendíceme a mí también, padre mío.

Le contestó:

—Ha venido tu hermano con trampas y se ha llevado tu bendición.

Comentó Esaú:

—Como se llama Jacob, ya me ha hecho trampa dos veces; se llevó mis derechos de primogénito y ahora se ha llevado mi bendición. —Y añadió—: ¿No te queda otra bendición para mí?

Respondió Isaac a Esaú:

—Mira, lo he nombrado señor tuyo, he declarado siervos suyos a sus hermanos, le he asegurado el grano y el mosto; ¿qué puedo hacer ya por ti, hijo mío?

Esaú dijo a su padre:

—¿Es que solo tienes una bendición, padre mío? Bendíceme también a mí, padre mío.

Y Esaú se echó a llorar ruidosamente. Entonces su padre Isaac le dijo:

—Sin feracidad de la tierra, sin rocío del cielo será tu morada. Vivirás de la espada, sometido a tu hermano. Pero cuando te rebeles, sacudirás el yugo del cuello.

Esaú guardaba rencor a Jacob por la bendición con que lo había bendecido su padre. Esaú se decía: «Cuando llegue el luto por mi padre, mataré a Jacob mi hermano».

Le contaron a Rebeca lo que decía su hijo mayor Esaú, mandó llamar a Jacob, el hijo menor, y le dijo:

—Mira, Esaú tu hermano piensa vengarse matándote. Por tanto, hijo mío, anda, huye a Jarán, a casa de mi hermano Labán. Quédate con él una temporada, hasta que se le pase la cólera a tu hermano, hasta que se le pase la ira a tu hermano y se olvide de lo que has hecho; entonces te mandaré llamar. Que no quiero perder a mis dos hijos el mismo día.

Isaac llamó por última vez a Jacob y le pidió que no se casara con una mujer cananea, sino que partiera a casa de su tío Labán y desposara a una de sus hijas. Jacob emprendió el viaje.

17. La escala de Jacob

Jacob salió de Berseba y se dirigió a Jarán. Acertó a llegar a un lugar; y como se había puesto el sol, se quedó allí a pasar la noche. Tomó una piedra del lugar, se la puso como almohada y se acostó en aquel lugar. Tuvo un sueño: una rampa, plantada en tierra, tocaba con el extremo el cielo. Mensajeros de Dios subían y bajaban por ella. El Señor estaba en pie sobre ella y dijo:

—Yo soy el Señor, Dios de Abraham tu padre y Dios de Isaac. La tierra en que yaces te la daré a ti y a tu descendencia. Tu descendencia será como el polvo de la tierra; te extenderás a occidente y oriente, al norte y al sur. Por ti y por tu descendencia todos los pueblos del mundo serán benditos. Yo estoy contigo, te acompañaré adonde vayas, te haré volver a este país y no te abandonaré hasta cumplirte cuanto te he prometido.

Despertó Jacob del sueño y dijo:

—Realmente está el Señor en este lugar y yo no lo sabía.

Y añadió aterrorizado:

—¡Qué terrible es este lugar! Es nada menos que casa de Dios y Puerta del Cielo.

Jacob se levantó de mañana, tomó la piedra que le había servido de almohada, la colocó a modo de estela[49] y derramó aceite en

---

[49] *Estela:* monumento conmemorativo que se levanta en el suelo en forma de lápida.

la punta. Y llamó al lugar Casa de Dios (la ciudad se llamaba antes Luz). Jacob pronunció un voto:

—Si Dios está conmigo y me guarda en el viaje que estoy haciendo y me da pan para comer y vestido con que cubrirme, y si vuelvo sano y salvo a casa de mi padre, entonces el Señor será mi Dios, y esta piedra que he colocado como estela será una casa de Dios y te daré un diezmo[50] de todo lo que me des.

18. Jacob y Raquel

Jacob alzó los pies y se dirigió al país de los orientales. Cuando he aquí que en campo abierto vio un pozo y tres rebaños de ovejas tumbadas junto a él, pues del pozo solían abrevar[51] a los rebaños. La piedra que tapaba el pozo era enorme, tanto que se reunían allí todos los pastores, corrían la piedra de la boca del pozo y abrevaban las ovejas; después colocaban de nuevo la piedra en su sitio en la boca del pozo. Jacob les dijo:

—Hermanos, ¿de dónde sois?

Contestaron:

—Somos de Jarán.

Les preguntó:

—¿Conocéis a Labán, hijo de Najor?

Contestaron:

—Lo conocemos.

Les dijo:

—¿Qué tal está?

Contestaron:

—Está bien. Justamente Raquel su hija está llegando con las ovejas.

---

[50] *Diezmo:* décima parte.
[51] *Abrevar:* dar de beber.

Él dijo:

—Todavía es pleno día, no es hora de recoger el ganado. Abrevad las ovejas y dejadlas pastar.

Replicaron:

—No podemos hasta que se reúnan todos los rebaños. Entonces corremos la piedra de la boca del pozo y abrevamos las ovejas.

Todavía estaba hablando con ellos, cuando llegó Raquel con las ovejas de su padre; pues era pastora. Cuando Jacob vio a Raquel, hija de Labán, su tío materno, y las ovejas de Labán, su tío materno, corrió la piedra de la boca del pozo y abrevó las ovejas de Labán, su tío materno. Después Jacob besó a Raquel y rompió a llorar ruidosamente. Jacob explicó a Raquel que era hermano de su padre, hijo de Rebeca. Ella corrió a contárselo a su padre.

Cuando Labán oyó la noticia sobre Jacob, hijo de su hermana, corrió a su encuentro, lo abrazó, le besó y lo llevó a su casa. Jacob contó a Labán todo lo sucedido. Labán le dijo: «¡Eres de mi carne y sangre!». Y se quedó con él un mes.

Labán dijo a Jacob:

—El que seas mi hermano no es razón para que me sirvas de balde[52]; dime qué salario quieres.

Labán tenía dos hijas: la mayor se llamaba Lía, la menor se llamaba Raquel. Lía tenía ojos apagados, Raquel era guapa y de buen tipo. Jacob estaba enamorado de Raquel, y le dijo:

—Te serviré siete años por Raquel, tu hija menor.

Contestó Labán:

—Más vale dártela a ti que dársela a un extraño. Quédate conmigo.

Jacob sirvió por Raquel siete años y estaba tan enamorado que le parecieron unos días. Jacob dijo a Labán:

---

[52] *De balde:* gratuitamente, sin cobrar.

—Se ha cumplido el tiempo, dame a mi mujer, que me acueste con ella.

Labán reunió a todos los hombres del lugar y les ofreció un banquete. Anochecido, tomó a su hija Lía, se la llevó a él y él se acostó con ella. Al amanecer descubrió que era Lía, y protestó a Labán:

—¿Qué me has hecho? ¿No te he servido por Raquel? ¿Por qué me has engañado?

Contestó Labán:

—No es costumbre en nuestro lugar dar la pequeña antes de la mayor.

Termina esta semana[53] y te daré también la otra en pago de que me sirvas otros siete años.

Jacob aceptó, terminó aquella semana y él le dio por mujer a su hija Raquel. Se acostó también con Raquel y quiso a Raquel más que a Lía; y se quedó a servir otros siete años. Viendo el Señor que Lía no era correspondida, la hizo fecunda; mientras Raquel seguía estéril.

Lía dio a luz a Rubén, Simeón, Leví y Judá. Raquel, mientras tanto, estaba tan desesperada que pidió a Jacob que le diera un hijo acostándose con su sierva Bilha. De Bilha nacieron Dan y Neftalí. Lía, que por entonces ya había dejado de concebir, le entregó a Jacob a su criada Zilpa como mujer, y de esa unión nacieron Gad y Aser. Pero Dios escuchó a Lía de nuevo, e hizo que diera a luz a Isacar, Zabulón y Dina. Finalmente, Raquel también pudo concebir, y nació su hijo José.

Tras el nacimiento de José, Jacob decidió regresar a Canaán, a la casa de su padre Isaac. Cogió a sus mujeres, sus hijos y sus rebaños y se marchó de la casa de Labán.

---

[53] *Semana:* no se refiere aquí a un período de siete días, sino de siete años.

19. La lucha de Jacob

En el camino de regreso aparecieron unos enviados de Esaú que avisaron a Jacob de que su hermano lo estaba buscando con cuatrocientos hombres para vengarse de él. Jacob sintió entonces mucho miedo, se encomendó a Dios, y mandó a varios de sus hombres que se adelantaran con sus rebaños, y que se los ofrecieran como regalos a Esaú, avisándole de que él venía detrás con sus mujeres y sus hijos. Jacob pensó que quizá con esos regalos conseguiría aplacar su ira.

Los regalos pasaron delante; Jacob se quedó aquella noche en el campamento. Todavía de noche se levantó, tomó a las dos mujeres, las dos criadas y los once hijos y cruzó el vado[54] del Yaboc. A ellos y a cuantos tenía los hizo pasar el río. Y se quedó Jacob solo. Un hombre peleó con él hasta despuntar la aurora. Viendo que no le podía, le golpeó la cavidad del muslo; y se le quedó tiesa a Jacob la cavidad del muslo mientras peleaba con él. Dijo:

—Suéltame, que despunta la aurora[55].

Respondió:

—No te suelto si no me bendices.

Le dijo:

—¿Cómo te llamas?

Contestó:

—Jacob.

---

[54] *Vado:* Lugar de un río con fondo firme, llano y poco profundo, por donde se puede pasar andando.

[55] *Despunta la aurora:* comienza a amanecer.

Repuso:

—Ya no te llamarás Jacob, sino Israel, pues has luchado con dioses y hombres y has vencido.

Jacob a su vez le preguntó:

—Dime tu nombre.

Contestó:

—¿Por qué preguntas por mi nombre?

Y lo bendijo allí.

Jacob llamó al lugar Penuel, diciendo: «He visto a Dios cara a cara, y he salido vivo».

Salía el sol cuando atravesaba Penuel; y marchaba cojeando.

20. ENCUENTRO DE JACOB CON ESAÚ

Alzó Jacob la vista y, viendo que se acercaba Esaú con sus cuatrocientos hombres, repartió sus hijos entre Lía, Raquel y las dos criadas. Puso delante a las criadas con sus hijos, detrás a Lía con los suyos, la última Raquel con José. Él se adelantó y se fue postrando en tierra siete veces hasta alcanzar a su hermano. Esaú corrió a recibirlo, lo abrazó, se le echó al cuello y lo besó llorando. Después, echando una mirada, vio a las mujeres con los hijos y preguntó:

—¿Qué relación contigo tienen estos?

Respondió:

—Son los hijos con que Dios ha favorecido a tu siervo.

Se le acercaron las criadas con sus hijos y se postraron; después se acercó Lía con sus hijos y se postraron; finalmente se acercó José con Raquel y se postraron.

Le preguntó:

—¿Qué significa toda esta caravana que he ido encontrando?

Contestó:

—Es para congraciarme con mi señor.

Replicó Esaú:

—Yo tengo bastante, hermano mío; quédate con lo tuyo.

Jacob insistió:

—De ninguna manera. Hazme el favor de aceptarme estos presentes. Pues he visto tu rostro benévolo y era como ver el rostro de Dios. Acepta este obsequio que te he traído: me lo ha regalado Dios y es todo mío.

Y, como insistía, lo aceptó.

Así, los dos hermanos ya reconciliados prosiguieron el camino. Raquel volvió a quedarse embarazada y murió al dar a luz a su último hijo, Benjamín. Jacob la enterró en el camino, en un lugar muy cerca de Belén, y construyó una hermosa estela funeraria en su memoria. Tras un largo viaje, Jacob y Esaú llegaron finalmente a casa de Isaac, su padre, que murió poco más tarde, anciano y colmado de años.

21. José y sus hermanos

Jacob se estableció en el país cananeo, la tierra donde había residido su padre. José tenía diecisiete años y pastoreaba el rebaño con sus hermanos. Ayudaba a los hijos de Buha y Zilpa, mujeres de su padre, y trajo malos informes de sus hermanos a su padre.

Israel prefería a José entre sus hijos, porque le había nacido en edad avanzada, y le hizo una túnica con mangas. Sus hermanos, al ver que su padre lo prefería entre los hermanos, le tomaron rencor y hasta le negaban el saludo.

José tuvo un sueño y se lo contó a sus hermanos, con lo cual a ellos les aumentó el rencor. Les dijo:

—Escuchad lo que he soñado. Estábamos atando gavillas[56] en el campo, cuando mi gavilla se alzó y se tenía en pie mientras vuestras gavillas, en torno, se postraban ante mi gavilla.

Le contestaron sus hermanos:

—¿Vas a ser tú nuestro rey? ¿Vas a ser tú nuestro señor?

Y les crecía el rencor por los sueños que les contaba.

José tuvo otro sueño y se lo contó a sus hermanos:

—He tenido otro sueño: el sol y la luna y once estrellas se postraban ante mí.

Cuando se lo contó a su padre y a sus hermanos, su padre le reprendió:

—¿Qué es eso que has soñado? ¿Es que yo y tu madre y tus hermanos vamos a postrarnos por tierra ante ti?

Sus hermanos le tenían envidia, pero su padre se guardó el asunto. Sus hermanos se trasladaron a Siquén a apacentar el rebaño de su padre. Israel dijo a José:

—Tus hermanos se encuentran pastoreando en Siquén. Quiero enviarte allá.

Contestó él:

—Aquí me tienes.

Le dijo:

—Vete a ver qué tal están tus hermanos y qué tal el rebaño y tráeme noticias.

Así lo envió desde el valle de Hebrón y él se dirigió a Siquén. Un hombre lo encontró perdido por el campo y le preguntó qué buscaba; él dijo:

—Busco a mis hermanos; te ruego que me digas dónde pastorean.

El hombre le contestó:

---

[56] *Gavilla:* conjunto de ramas, hierba, caña, etc., un poco más grande que un manojo.

—Se han marchado de aquí; les oí decir que iban hacia Dotan. José fue tras sus hermanos y los encontró en Dotan.

Cuando ellos lo vieron venir a lo lejos, antes de que se acercara tramaron su muerte. Y comentaban:

—¡Ahí viene ese soñador! Vamos a matarlo y echarlo en un aljibe[57]; después diremos que lo ha devorado una fiera, y veremos en qué paran sus sueños.

Cuando lo oyó Rubén, intentando librarlo de sus manos, les dijo:

—No cometamos un homicidio. —Y añadió Rubén—: No derraméis sangre; echadlo en este aljibe, aquí en la estepa y no pongáis las manos sobre él.

Era para librarlo de sus manos y devolverlo a su padre.

Cuando llegó José a donde estaban sus hermanos, ellos le quitaron la túnica con mangas que llevaba, lo agarraron y echaron en un aljibe; era un aljibe vacío, sin agua. Después se sentaron a comer. Levantando la vista vieron una caravana de ismaelitas que transportaban en camellos goma de tragacanto[58], bálsamo y resina de Galaad a Egipto. Judá propuso a sus hermanos:

—¿Qué ganamos con matar a nuestro hermano y echar tierra sobre su sangre? Vamos a venderlo a los ismaelitas y no pongamos las manos en él; que al fin es hermano nuestro, de nuestra carne y sangre.

Los hermanos aceptaron. Al pasar unos mercaderes tiraron de su hermano, lo sacaron del aljibe y vendieron a José a los ismaelitas por veinte pesos de plata. Estos se llevaron a José a Egipto.

Entretanto Rubén volvió al aljibe y, al ver que José no estaba en el aljibe, se rasgó las vestiduras[59], volvió a sus hermanos y les dijo:

—El muchacho no está; y yo ¿a dónde voy yo ahora?

---

[57] *Aljibe:* depósito subterráneo de agua.
[58] *Tragacanto:* arbusto de donde se extrae la goma.
[59] Rasgarse las vestiduras es un gesto de duelo.

Ellos tomaron la túnica de José, degollaron un cabrito, emparon en sangre la túnica y enviaron la túnica con manchas a su padre con este recado:

—Esto hemos encontrado; mira a ver si es la túnica de tu hijo o no.

Él, al reconocerla, dijo:

—¡Es la túnica de mi hijo! Una fiera lo ha devorado, ha descuartizado a José.

Jacob se rasgó las vestiduras, se ciñó sayal[60] e hizo luto por su hijo muchos días. Vinieron todos sus hijos e hijas para consolarlo. Pero él rehusó el consuelo diciendo:

—Bajaré a la tumba haciendo duelo por mi hijo.

Su padre lo lloró. Y los comerciantes lo vendieron en Egipto a Putifar, ministro y jefe de la guardia del Faraón.

22. José y Putifar

Cuando llevaron a José a Egipto, Putifar, un egipcio ministro y mayordomo del Faraón, se lo compró a los ismaelitas que lo habían traído. El Señor estaba con José y le dio suerte, de modo que lo dejaron en casa de su amo egipcio. Su amo, viendo que el Señor estaba con él y que hacía prosperar todo lo que él emprendía, le tomó afecto y lo puso a su servicio personal, poniéndolo al frente de su casa y encomendándole todas sus cosas. Desde que lo puso al frente de la casa y de todo lo suyo, el Señor bendijo la casa del egipcio en atención a José, y vino la bendición del Señor sobre todo lo que poseía, en casa y en el campo. Putifar lo puso todo en manos de José, sin preocuparse de otra cosa que del pan que comía. José era guapo y de buen tipo.

---

[60] También en señal de duelo, se puso vestiduras de sayal, una tela muy áspera hecha de lana basta.

Pasado cierto tiempo, la mujer del amo puso los ojos en José y le propuso:

—Acuéstate conmigo.

Él rehusó, diciendo a la mujer del amo:

—Mira, mi amo no se ocupa de nada de casa, todo lo suyo lo ha puesto en mis manos; no ejerce en casa más autoridad que yo, y no se ha reservado nada sino a ti, que eres su mujer. ¿Cómo voy a cometer yo semejante crimen pecando contra Dios?

Ella insistía un día y otro para que se acostase con ella o estuviese con ella, pero él no le hacía caso. Un día de tantos, entró él en casa a despachar sus asuntos, y no estaba en casa ninguno de los empleados. Ella lo agarró por el traje y le dijo:

—Acuéstate conmigo.

Pero él soltó el traje en sus manos y salió fuera corriendo. Ella, al ver que le había dejado el traje en la mano y había corrido afuera, llamó a los criados y les dijo:

—Mirad, nos han traído un hebreo para que se aproveche de nosotros; ha entrado en mi habitación para acostarse conmigo, pero yo he gritado fuerte; al oír que yo levantaba la voz y gritaba, soltó el traje junto a mí y salió afuera corriendo.

Y retuvo consigo el manto hasta que volviese a casa su marido, y le contó la misma historia:

—El esclavo hebreo que trajiste ha entrado en mi habitación para aprovecharse de mí, yo alcé la voz y grité y él dejó el traje junto a mí y salió corriendo.

Cuando el marido oyó la historia que le contaba su mujer, «tu esclavo me ha hecho esto», montó en cólera, tomó a José y lo metió en la cárcel, donde estaban los presos del rey; así fue a parar a la cárcel. Pero el Señor estaba con José, le concedió favores e hizo que cayese en gracia al jefe de la cárcel. Este encomendó a José todos los presos de la cárcel, de modo que todo se hacía allí según su deseo. El jefe de la cárcel no vigilaba nada de lo que estaba a su cargo, pues el Señor estaba con José y cuanto este emprendía el Señor lo hacía prosperar.

23. JOSÉ INTERPRETA LOS SUEÑOS

Pasado cierto tiempo, el copero y el panadero del rey de Egipto ofendieron a su amo. El Faraón, encolerizado contra sus dos ministros, el Copero Mayor y el Panadero Mayor, los hizo custodiar en casa del mayordomo, en la cárcel donde José estaba preso. El mayordomo se los encomendó a José para que les sirviera.

Pasaron varios días en la cárcel, y tuvieron los dos un sueño y la misma noche, cada sueño con su propio sentido, el copero y el panadero del rey de Egipto, que estaban presos en la cárcel. Por la mañana entró José donde ellos estaban y los encontró deprimidos, y preguntó a los ministros del Faraón que estaban presos con él, en casa de su señor:

—¿Por qué tenéis hoy ese aspecto?

Contestaron:

—Hemos soñado un sueño y no hay quien lo interprete.

Replicó José:

—Dios interpreta los sueños; contádmelos.

El copero contó su sueño a José:

—Soñé que tenía una vid delante; la vid tenía tres ramas, echó brotes y flores y maduraron las uvas en racimos. Yo tenía en una mano la copa del Faraón. Estrujé los racimos, los aplasté en la copa y puse la copa en la mano del Faraón.

José le dijo:

—Esta es la interpretación: las tres ramas son tres días. Dentro de tres días se acordará de ti, te restablecerá en tu cargo y pondrás la copa en la mano del Faraón como antes, cuando eras su copero. Pero acuérdate de mí cuando te vaya bien y hazme este favor:

menciónale mi nombre al Faraón para que me saque de esta prisión, pues me trajeron secuestrado del país de los hebreos, y aquí no he cometido nada malo para que me echasen al calabozo.

Viendo el panadero que había interpretado bien, le contó a José:

—Pues yo soñé que llevaba tres cestos de mimbre en la cabeza; en el cesto superior había toda clase de repostería para el Faraón, pero los pájaros lo picoteaban en la cesta que yo llevaba en la cabeza.

José respondió:

—Esta es la interpretación: las tres cestas son tres días. Dentro de tres días el Faraón se fijará en ti y te colgará de un palo y las aves picotearán la carne de tu cuerpo.

Al tercer día, el Faraón celebraba su cumpleaños y dio un banquete a todos sus ministros, y entre todos se fijó en el Copero Mayor y el Panadero Mayor: al Copero Mayor lo restableció en su cargo de copero, para que pusiera la copa en la mano del Faraón; al Panadero Mayor lo colgó, como José había interpretado. Pero el Copero Mayor no se acordó de José, sino que se olvidó de él.

Pasaron dos años y el Faraón tuvo un sueño: Estaba en pie junto al Nilo cuando vio salir del Nilo siete vacas hermosas y bien cebadas que se pusieron a pastar en el carrizal[61]. Detrás de ellas salieron del Nilo otras siete vacas flacas y mal alimentadas, y se pusieron, junto a las otras, a la orilla del Nilo, y las vacas flacas y mal alimentadas se comieron las siete vacas hermosas y bien cebadas. El Faraón despertó.

Tuvo un segundo sueño: siete espigas brotaban de un tallo, hermosas y granadas, y siete espigas secas y con tizón brotaban detrás de ellas. Las siete espigas secas devoraban a las siete espigas granadas y llenas. El Faraón despertó; había sido un sueño.

---

[61] *Carrizal:* campo de una planta llamada carrizo, que crece a las orillas de los ríos.

A la mañana siguiente, agitado, mandó llamar a todos los magos de Egipto y a sus sabios, y les contó el sueño, pero ninguno sabía interpretárselo al Faraón. Entonces el Copero Mayor dijo al Faraón:

—Tengo que confesar hoy mi pecado. Cuando el Faraón se irritó contra sus siervos y nos metió en la cárcel en casa del mayordomo, a mí y al Panadero Mayor, él y yo tuvimos un sueño la misma noche; cada sueño con su propio sentido. Había allí con nosotros un joven hebreo, siervo del mayordomo; le contamos el sueño y él lo interpretó, a cada uno su interpretación. Y tal como él lo interpretó así sucedió: a mí me restablecieron en mi cargo, a él lo colgaron.

El Faraón mandó llamar a José. Lo sacaron aprisa del calabozo; se afeitó, se cambió el traje y se presentó al Faraón. El Faraón dijo a José:

—He soñado un sueño y nadie sabe interpretarlo. He oído decir de ti que oyes un sueño y lo interpretas.

Respondió José al Faraón:

—Sin mérito mío, Dios dará al Faraón respuesta propicia.

El Faraón dijo a José:

—Soñaba que estaba de pie junto al Nilo, cuando vi salir del Nilo siete vacas hermosas y bien cebadas, y se pusieron a pastar en el carrizal; detrás de ellas salieron otras siete vacas flacas y mal alimentadas, en los huesos; no las he visto peores en todo el país de Egipto. Las vacas flacas y mal alimentadas se comieron las siete vacas anteriores, las cebadas. Y cuando entraron dentro de ellas, no se notaba que habían entrado, pues su aspecto seguía tan malo como al principio. Y me desperté. Tuve otro sueño: siete espigas brotaban de un tallo, hermosas y granadas, y siete espigas crecían detrás de ellas, mezquinas, secas y con tizón; las siete espigas secas devoraban a las siete espigas hermosas. Se lo conté a mis magos y ninguno pudo interpretármelo.

José dijo al Faraón:

—Se trata de un único sueño: Dios anuncia al Faraón lo que va a hacer. Las siete vacas gordas son siete años de abundancia y las siete espigas hermosas son siete años: es el mismo sueño. Las siete vacas flacas y desnutridas, que salían detrás de las primeras, son siete años, y las siete espigas vacías y con tizón son siete años de hambre. Es lo que he dicho al Faraón: Dios ha mostrado al Faraón lo que va a hacer. Van a venir siete años de gran abundancia en todo el país de Egipto; detrás vendrán siete años de hambre que harán olvidar la abundancia en Egipto, pues el hambre acabará con el país. No habrá rastro de abundancia en el país a causa del hambre que seguirá, pues será terrible. El haber soñado el Faraón dos veces indica que Dios confirma su palabra y que se apresura a cumplirla. Por tanto, que el Faraón busque un hombre sabio y prudente y lo ponga al frente de Egipto; establezca inspectores que dividan el país en regiones y administren durante los siete años de abundancia. Que reúnan toda clase de alimentos durante los siete años buenos que van a venir, metan grano en los graneros por orden del Faraón y los guarden en las ciudades. Los alimentos se depositarán para los siete años de hambre que vendrán después en Egipto, y así no perecerá de hambre el país.

24. Encuentros de José con sus hermanos

El faraón, impresionado por la sabiduría de José, lo nombró virrey de Egipto. Él fue el encargado de acumular el grano durante los siete años de bonanza, y comenzó a venderlo cuando llegó la carestía. El hambre afectó a toda la región, tampoco en la tierra de Canaán había qué comer, así que Jacob, cuando tuvo noticias de que en Egipto había grano, mandó a sus hijos a que fueran a comprarlo. Solo Benjamín se quedó con su padre.

Llegaron los hijos de Jacob a Egipto y fueron a ver a José. No lo reconocieron, pero él sí supo que eran sus hermanos. Los trató con dureza y los acusó de ser espías. Finalmente, les entregó el grano, pero les pidió que uno de ellos (Simeón) se quedara en Egipto, y que los demás volvieran a Canaán para alimentar a sus familias y trajeran de vuelta a Benjamín, su hermano más pequeño. También escondió una bolsa de dinero en cada uno de los sacos de grano que les fueron entregados.

Cuando llegaron a su casa relataron a su padre lo ocurrido. Jacob, en un primer momento, dijo que nunca dejaría marchar a Benjamín, pues era el único hijo que le quedaba y si le pasaba algo por el camino moriría de tristeza. Sin embargo, se terminó el grano, y la hambruna seguía siendo tan fuerte que tuvo que acceder a que Benjamín viajara con sus hermanos a Egipto para comprar más alimento. Partieron y llevaron consigo numerosos regalos y también el dinero que José había escondido en sus sacos.

Cuando llegó José a casa, le presentaron los regalos que habían traído y se postraron en tierra ante él. Él les preguntó:

—¿Qué tal estáis? ¿Qué tal está vuestro anciano padre, del que me hablasteis?, ¿vive todavía?

Le contestaron:

—Estamos bien tus siervos y nuestro padre todavía vive. Y se postraron.

Echando una mirada vio José a Benjamín, su hermano materno, y preguntó:

—¿Es ese vuestro hermano menor, del que me hablasteis? —Y añadió—: Dios te favorezca, hijo mío.

A José se le conmovieron las entrañas, por su hermano, y le vinieron ganas de llorar; y entrando aprisa en la alcoba, lloró allí. Después se lavó la cara y salió, y dominándose mandó:

—Servid la comida.

Le sirvieron a él por un lado, a ellos por otro y a los comensales egipcios por otro. Pues los egipcios no pueden comer con los hebreos: sería abominable para los egipcios. Se sentaron frente a él, empezando por el mayor y terminando por el menor. Ellos se miraban asombrados. José les hacía pasar porciones de su mesa, y la porción para Benjamín era cinco veces mayor. Bebieron hasta embriagarse con él.

Cuando iban a marchar, José mandó esconder su copa de oro, la que utilizaba para beber y para adivinar, en el saco de Benjamín. Después de que hubieron ya salido, envió tras ellos a su mayordomo y le ordenó que les preguntara por qué habían sido tan ingratos con él y le habían robado la copa. Cuando el mayordomo les dio alcance, ellos aseguraron que no habían robado nada, que podía revisar los sacos, y que si aparecía la copa en uno de aquellos sacos su dueño se quedaría en Egipto y sería esclavo de José. Al descubrir que la copa estaba en el saco de Benjamín se quedaron muy tristes sus hermanos, regresaron a Egipto, y Judá habló a José del siguiente modo:

—Permite, señor, a tu servidor dirigir unas palabras a su señor; no te enfades con tu servidor. Pues tú eres como el Faraón. Mi señor preguntó a sus servidores[62] si teníamos padre o algún hermano. Nosotros respondimos a mi señor: «Tenemos un padre anciano con un chico pequeño nacido en su vejez. Un hermano suyo murió y solo le queda este de aquella mujer. Su padre lo adora». Tú dijiste a tus servidores que te lo trajéramos para conocerlo personalmente. Respondimos a mi señor: «El muchacho no puede dejar a su padre; si lo deja, su padre morirá».Tú dijiste a tus servidores: «Si no baja vuestro hermano menor con vosotros, no volveréis a verme». Cuando volvimos a casa de tu servidor, nuestro padre, y le comunicamos lo que decía mi señor, nuestro padre

---

[62] *Servidores:* se refiere a los hermanos de José. Judá utiliza este término en señal de respeto a José: ellos son sus «servidores», los que están allí para servirle.

respondió: «Volved a comprarnos víveres». Le dijimos: «No podemos bajar si no viene con nosotros nuestro hermano menor; pues no podemos ver a aquel hombre si no nos acompaña nuestro hermano menor». Nos respondió tu servidor, nuestro padre: «Sabéis que mi mujer me dio dos hijos: uno se alejó de mí y pienso que lo descuartizó una fiera, pues no he vuelto a verlo. Si arrancáis también a este de mi lado y le sucede una desgracia, daréis con mis canas, de pena, en la tumba». Ahora bien, si vuelvo a tu servidor, mi padre, sin llevar conmigo al muchacho, a quien quiere con toda su alma, cuando vea que falta el muchacho, morirá; y tu servidor habrá dado con las canas de tu servidor, mi padre, de pena, en la tumba. Además tu servidor ha salido fiador[63] por el muchacho, ante mi padre, asegurando: «Si no te lo traigo, mi padre rompe conmigo para siempre». En conclusión: deja que tu servidor se quede como esclavo de mi señor en lugar del muchacho y que el muchacho vuelva con sus hermanos. Pues ¿cómo puedo volver a mi padre sin llevar al muchacho conmigo, para ver la desgracia que se abatirá sobre mi padre?

Al oír estas palabras, José no pudo contener la emoción y se dio a conocer a sus hermanos. Les preguntó por su padre y les perdonó por haberlo vendido. Lloró por mucho tiempo y los besó y abrazó.

El Faraón, al saber que estaban en su palacio los hermanos de José, les dio carros y víveres para que regresaran a su tierra y trajeran consigo a su padre, prometiéndoles a todos una vida próspera en Egipto. Llegaron pues a casa de Jacob y le comunicaron que su hijo José estaba vivo y era gobernador de Egipto. Él, ya muy anciano, quiso emprender el viaje para volver a ver a José. Llevaron consigo a todos sus hijos y sus mujeres.

---

[63] *Fiador:* aquel que debe responder de una obligación o un compromiso.

Jacob y José se reencontraron, sus hermanos se instalaron en Egipto y allí vivieron como pastores. Al cabo de los años murió Jacob, que fue enterrado en la tierra de Canaán, cumpliendo su última voluntad. José vivió largo tiempo en Egipto y, en el momento de su muerte, prometió a sus hermanos y sus hijos que Dios sabría guiarlos de nuevo a la tierra de Canaán.

25. Los israelitas, esclavos del Faraón de Egipto

Muerto José y sus hermanos y toda aquella generación, los israelitas crecían y se propagaban, se multiplicaban y se hacían fuertes en extremo e iban llenando todo el país. Subió al trono en Egipto un Faraón nuevo que no había conocido a José, y dijo a su pueblo:

—Mirad, los israelitas se están volviendo más numerosos y fuertes que nosotros; vamos a vencerlos con astucia, pues si no crecerán; y si se declara la guerra, se aliarán con el enemigo, nos atacarán y después se marcharán de nuestra tierra.

Así pues, nombraron capataces que los explotaran como cargadores en la construcción de las ciudades granero: Pitón y Ramsés. Pero cuanto más los oprimían, ellos crecían y se propagaban más. Hartos de los israelitas, los egipcios les impusieron trabajos penosos, y les amargaron la vida con dura esclavitud, imponiéndoles los duros trabajos del barro, de los ladrillos y toda clase de trabajos del campo. El rey de Egipto ordenó a las comadronas hebreas (una se llamaba Séfora y otra Fuá):

—Cuando asistáis a las hebreas y les llegue el momento, si es niño lo matáis, si es niña la dejáis con vida.

Pero las comadronas respetaban a Dios, y en vez de hacer lo que les mandaba el rey de Egipto dejaban con vida a los recién nacidos.

El rey de Egipto llamó a las comadronas y las interrogó:

—¿Por qué obráis así y dejáis con vida a las criaturas?

Contestaron al Faraón:

—Es que las mujeres hebreas no son como las egipcias: son robustas y dan a luz antes de que lleguen las comadronas.

Dios premió a las comadronas: el pueblo crecía y se hacía muy fuerte, y a ellas, como respetaban a Dios, también les dio familia. Entonces, el Faraón ordenó a todos sus hombres:

—Cuando les nazca un niño, echadlo al Nilo; si es niña, dejadla con vida.

26. Infancia y juventud de Moisés

Un hombre de la tribu de Leví se casó con una mujer de la misma tribu; ella concibió y dio a luz un niño. Viendo lo hermoso que era, lo tuvo escondido tres meses. No pudiendo tenerlo escondido por más tiempo, tomó una cesta de mimbre, la embadurnó de barro y pez, colocó en ella a la criatura y la depositó entre los juncos, a la orilla del Nilo. Una hermana del niño observaba a distancia para ver en qué paraba aquello.

La hija del Faraón bajó a bañarse en el Nilo, mientras sus criadas la seguían por la orilla. Al descubrir la cesta entre los juncos, mandó a la criada a recogerla. La abrió, miró dentro y encontró un niño llorando. Conmovida, comentó:

—Es un niño de los hebreos.

Entonces, la hermana del niño dijo a la hija del Faraón:

—¿Quieres que vaya a buscar una nodriza hebrea que te críe el niño?

Respondió la hija del Faraón:

—Anda.

La muchacha fue y llamó a la madre del niño. La hija del Faraón le dijo:

—Llévate este niño y críamelo, y yo te pagaré. La mujer tomó al niño y lo crio.

Cuando creció el muchacho, se lo llevó a la hija del Faraón, que lo adoptó como hijo y lo llamó Moisés, diciendo: «Lo he sacado del agua».

Pasaron los años, Moisés creció, salió a donde estaban sus hermanos y los encontró transportando cargas. Y vio cómo un egipcio maltrataba a un hebreo, uno de sus hermanos. Miró a un lado y a otro, y viendo que no había nadie, mató al egipcio y lo enterró en la arena. Al día siguiente, salió y encontró a dos hebreos riñendo, y dijo al culpable:

—¿Por qué maltratas a tu compañero?

Él le contestó:

—¿Quién te ha nombrado jefe y juez nuestro? ¿Es que pretendes matarme como mataste al egipcio?

Moisés se asustó pensando que la cosa se había sabido. Cuando el Faraón se enteró del hecho, buscó a Moisés para darle muerte; pero Moisés huyó del Faraón y se refugió en el país de Madián. Allí se sentó junto a un pozo. El sacerdote de Madián tenía siete hijas, que solían salir a sacar agua y a llenar los abrevaderos para abrevar el rebaño de su padre. Llegaron unos pastores e intentaron echarlas. Entonces Moisés se levantó, defendió a las muchachas y abrevó su rebaño. Ellas volvieron a casa de Jetró, su padre, y él les preguntó:

—¿Cómo hoy tan pronto de vuelta?

Contestaron:

—Un egipcio nos ha librado de los pastores, nos ha sacado agua y ha abrevado el rebaño.

Replicó el padre:

—¿Dónde está? ¿Cómo lo habéis dejado marchar? Llamadlo que venga a comer.

Moisés accedió a vivir con él, y este le dio a su hija Séfora por esposa. Ella dio a luz a un niño y Moisés lo llamó Gersón, diciendo: «Soy forastero en tierra extranjera». Pasaron muchos años, murió el rey de Egipto, y los israelitas se quejaban de la esclavitud y clamaron. Los gritos de auxilio de los esclavos llegaron a Dios. Dios escuchó sus quejas y se acordó del pacto hecho con Abraham, Isaac y Jacob; y viendo a los israelitas, Dios se interesó por ellos.

27. Dios revela a Moisés su misión

Moisés pastoreaba el rebaño de su suegro Jetró, sacerdote de Madián; llevó el rebaño trashumando[64] por el desierto hasta llegar a Horeb, el monte de Dios. El ángel del Señor se le apareció en una llamarada entre las zarzas. Moisés se fijó: la zarza ardía sin consumirse. Moisés dijo:

—Voy a acercarme a mirar este espectáculo tan admirable: cómo es que no se quema la zarza.

Viendo el Señor que Moisés se acercaba a mirar, lo llamó desde la zarza:

—Moisés, Moisés.

Respondió él:

—Aquí estoy.

Dijo Dios:

—No te acerques. Quítate las sandalias de los pies, pues el sitio que pisas es terreno sagrado. —Y añadió—: Yo soy el Dios de tu padre, el Dios de Abraham, el Dios de Isaac, el Dios de Jacob.

Moisés se tapó la cara temeroso de mirar a Dios. El Señor le dijo:

---

[64] *Trashumar:* conducir el rebaño de las tierras de invierno a las de verano, y viceversa, para encontrar siempre el mejor pasto.

—He visto la opresión de mi pueblo en Egipto, he oído sus quejas contra los opresores, me he fijado en sus sufrimientos. Y he bajado a librarlos de los egipcios, a sacarlos de esta tierra para llevarlos a una tierra fértil y espaciosa, tierra que mana leche y miel, el país de los cananeos, hititas, amorreos, fereceos, heveos y jebuseos. La queja de los israelitas ha llegado a mí, y he visto cómo los tiranizan los egipcios. Y ahora, anda, que te envío al Faraón para que saques de Egipto a mi pueblo, a los israelitas.

Moisés replicó a Dios:

—¿Quién soy yo para acudir al Faraón o para sacar a los israelitas de Egipto?

Respondió Dios:

—Yo estoy contigo, y esta es la señal de que yo te envío: que cuando saques al pueblo de Egipto, daréis culto a Dios en esta montaña.

Moisés replicó a Dios:

—Mira, yo iré a los israelitas y les diré: «El Dios de vuestros padres me ha enviado a vosotros». Si ellos me preguntan cómo se llama, ¿qué les respondo?

Dios dijo a Moisés:

—«Soy el que soy». Esto dirás a los israelitas: «Yo soy» me envía a vosotros. —Dios añadió—: Esto dirás a los israelitas: el Señor Dios de vuestros padres, Dios de Abraham, Dios de Isaac, Dios de Jacob, me envía a vosotros. Este es mi nombre para siempre: así me llamaréis de generación en generación. Vete, reúne a las autoridades de Israel y diles: el Señor Dios de vuestros padres, de Abraham, de Isaac y de Jacob, se me ha aparecido y me ha dicho: «Os tengo presentes y veo cómo os tratan los egipcios. He decidido sacaros de la opresión egipcia y haceros subir al país de los cananeos, hititas, amorreos, fereceos, heveos y jebuseos, a una tierra que mana leche y miel». Ellos te harán caso, y tú, con las autoridades de Israel, te presentarás al rey de Egipto y le diréis:

«El Señor Dios de los hebreos nos ha encontrado, y nosotros tenemos que hacer un viaje de tres jornadas por el desierto para ofrecer sacrificios al Señor nuestro Dios». Yo sé que el rey de Egipto no os dejará marchar si no es a la fuerza; pero yo extenderé la mano, heriré a Egipto con prodigios que haré en el país, y entonces os dejará marchar. Y haré que este pueblo se gane el favor de los egipcios, de modo que al salir no se marchen con las manos vacías. Las mujeres pedirán a sus vecinas, o a las dueñas de las casas donde se alojen, objetos de plata y oro y ropa para vestir a sus hijos e hijas. Así os llevaréis botín de Egipto.

Moisés replicó:

—¿Y si no me creen ni me hacen caso, y dicen que no se me ha aparecido el Señor?

El Señor le preguntó:

—¿Qué tienes en la mano?

Contestó:

—Un bastón.

Dios le dijo:

—Tíralo al suelo.

Él lo tiró al suelo y se convirtió en serpiente, y Moisés echó a correr asustado.

El Señor dijo a Moisés:

—Échale mano y agárrala por la cola. —Moisés le echó mano, y al agarrarla en el puño se convirtió en un bastón—. Para que crean que se te ha aparecido el Señor, Dios de sus padres, Dios de Abraham, Dios de Isaac, Dios de Jacob.

El Señor siguió diciéndole:

—Mete la mano en el seno.

Él la metió, y al sacarla tenía la piel descolorida como la nieve. Le dijo:

—Métela otra vez en el seno.

La metió, y al sacarla estaba normal, como de carne.

—Si no te creen ni te hacen caso al primer signo, te creerán al segundo. Si no te creen ni hacen caso a ninguno de los dos, toma agua del Nilo, derrámala en tierra, y el agua que hayas sacado del Nilo se convertirá en sangre.

Pero Moisés insistió al Señor:

—Yo no tengo facilidad de palabra, ni antes ni ahora que has hablado a tu siervo; soy torpe de boca y de lengua.

El Señor replicó:

—¿Quién da la boca al hombre? ¿Quién lo hace mudo o sordo o perspicaz o ciego? ¿No soy yo, el Señor? Por tanto, ve; yo estaré en tu boca y te enseñaré lo que tienes que decir.

Insistió:

—No, Señor; envía el que tengas que enviar.

El Señor se irritó con Moisés y le dijo:

—Aarón, tu hermano, el levita, sé que habla bien. Él viene ya a tu encuentro y se alegrará al verte. Háblale y ponle mis palabras en la boca. Yo estaré en tu boca y en la suya, y os enseñaré lo que tenéis que hacer. Él hablará al pueblo en tu nombre, él será tu boca, tú serás su dios. Tú toma el bastón con el que realizarás los signos.

Moisés decidió volver a Egipto. Se reunió con Aarón, le contó lo sucedido, y ambos reunieron a los israelitas para anunciarles que Dios deseaba liberarlos. Moisés hizo los prodigios que Dios le había indicado y todos le creyeron y albergaron una gran esperanza.

28. LA LIBERACIÓN DE LA ESCLAVITUD

Moisés y Aarón fueron a ver al Faraón de Egipto, y le anunciaron que su Dios había ordenado que dejara marchar a los israelitas. Pero el Faraón, enfurecido, rechazó su petición y sometió al pueblo hebreo a un maltrato aún más duro, obligándoles a buscar paja para fabricar el adobe de sus casas y tratándoles con una crueldad extrema. Moisés pidió ayuda a Dios, que reafirmó su promesa. Mientras tanto, los israelitas, extenuados, habían dejado de confiar en sus palabras.

Sucedió entonces que Dios ordenó a Moisés y a Aarón que volvieran en presencia del Faraón y le reiteraran su voluntad de que dejara marchar a los israelitas. Les mandó que llevaran el bastón que se transformaba en culebra. El Faraón, al verlo, hizo llamar a sus magos y hechiceros, que cogieron otro bastón y también lo transformaron en una culebra, por lo que expulsó a Moisés y Aarón de su presencia. Dios, entonces, envió diez terribles plagas sobre Egipto, para forzar al Faraón a que dejara marchar a los israelitas.

En primer lugar, Moisés advirtió al Faraón de que si tocaba el agua del Nilo con su bastón la convertiría en sangre, morirían todos los peces y el país se quedaría sin agua que beber y envuelto en un olor nauseabundo. La amenaza se cumplió tal como Moisés había anunciado, pero el Faraón volvió a llamar a sus hechiceros, que consiguieron el mismo efecto, y se negó a liberar a los israelitas. Mientras tanto, los egipcios buscaban desesperadamente agua que beber.

Entonces Dios mandó una segunda plaga: Aarón extendió su bastón sobre los ríos y todo el país se llenó de ranas, que invadieron los campos y las casas. El Faraón, horrorizado, prometió a Moisés que liberaría a los israelitas si aplacaba la ira de su Dios. Moisés rezó entonces por el fin de la plaga, y las ranas fueron muriendo. Pero el Faraón, al ver que la desgracia remitía, cambió de opinión y siguió maltratando a los israelitas.

Y llegó la tercera plaga. Aarón golpeó el suelo con su bastón, y el polvo que se había levantado se convirtió en una nube de mosquitos que se extendió por todo el territorio egipcio. Los mosquitos atacaban a hombres y animales, y los magos y hechiceros advirtieron al Faraón de que aquella plaga era obra del dedo de Dios y que ellos no podían hacer nada semejante. Pero el Faraón no quiso escucharlos.

Dios envió entonces nubes de moscas que invadieron la corte del Faraón y todo Egipto: era la cuarta plaga. De nuevo el Faraón prometió a Moisés que dejaría salir a los israelitas si rezaba a su Dios para alejar a las moscas, pero, una vez que Moisés lo hubo hecho, cambió de idea y decidió prolongar el cautiverio.

Mandó Dios la plaga de la peste, a causa de la que murió todo el ganado de los egipcios. El ganado de los israelitas, sin embargo, no enfermó y continuó con vida. A pesar de haber visto esto, el Faraón siguió empeñado en no dejar marchar a los israelitas.

Ordenó Dios a Moisés que lanzara un puñado de polvo hacia el cielo en presencia del Faraón, y ese polvo se extendió por todo Egipto y cayó sobre los hombres y los animales produciéndoles úlceras y llagas. A pesar del sufrimiento de su pueblo, el Faraón siguió sin cambiar de idea.

Dios, a través de Moisés, asoló Egipto con otras tres plagas: una terrible tormenta de granizo, una plaga de langostas que destruyeron todas las plantas y las cosechas, y una inmensa tiniebla que dejó a los egipcios sumidos en la oscuridad durante tres días, mientras los israelitas tenían luz en sus poblados. Una y otra vez el Faraón prometió a Moisés que si rezaba a su Dios para que terminara la plaga, dejaría marchar a los israelitas. Pero nunca cumplió su promesa.

El Señor dijo a Moisés:

—Todavía tengo que enviar una plaga al Faraón y a su país. Después os dejará marchar de aquí, es decir, os echará a todos de aquí. Habla a todo el pueblo: que cada hombre pida a su vecino y cada mujer a su vecina utensilios de plata y oro.

El Señor hizo que el pueblo se ganase el favor de los egipcios, y también Moisés era muy estimado en Egipto por los ministros del Faraón y por el pueblo. Dijo Moisés:

—Así dice el Señor: «A medianoche yo haré una salida entre los egipcios; morirán todos los primogénitos de Egipto, desde el primogénito del Faraón que se sienta en el trono hasta el primogénito de la sierva que atiende al molino, y todos los primogénitos del ganado. Y se oirá un inmenso clamor por todo Egipto como nunca lo ha habido ni lo habrá. Mientras que a los israelitas ni un perro les ladrará, ni a los hombres ni a las bestias; para que sepáis que el Señor distingue entre egipcios e israelitas. Entonces todos estos ministros tuyos acudirán a mí, y postrados ante mí me pedirán: "Sal con el pueblo que te sigue". Entonces saldré». —Y salió airado de la presencia del Faraón.

Así pues, el Señor dijo a Moisés:

—El Faraón no os hará caso, y así se multiplicarán mis prodigios en Egipto.

Y Moisés y Aarón hicieron todos estos prodigios en presencia del Faraón; pero el Señor hizo que el Faraón se empeñara en no dejar marchar a los israelitas de su territorio.

A medianoche, el Señor hirió de muerte a todos los primogénitos de Egipto: desde el primogénito del Faraón que se sienta en el trono hasta el primogénito del preso encerrado en el calabozo, y los primogénitos de los animales. Aún de noche, se levantó el Faraón y su corte y todos los egipcios, y se oyó un clamor inmenso en todo Egipto, pues no había casa en que no hubiera un muerto. El Faraón llamó a Moisés y a Aarón de noche, y les dijo:

—Levantaos, salid de en medio de mi pueblo, vosotros con todos los israelitas, id a ofrecer culto al Señor como habéis pedido; llevaos también las ovejas y las vacas, como decíais; despedíos de mí y salid.

Los egipcios urgían al pueblo para que saliese cuanto antes del país, pues temían morir todos. El pueblo sacó de las artesas[65] la masa sin fermentar, la envolvió en mantas y se la cargó al hom-

---

[65] *Artesa:* cajón que sirve para amasar el pan.

bro. Además, los israelitas hicieron lo que Moisés les había mandado: pidieron a los egipcios utensilios de plata y oro y ropa; el Señor hizo que se ganaran el favor de los egipcios, que les dieron lo que pedían. Así despojaron a Egipto.

Los israelitas marcharon de Ramsés hacia Sucot: eran seiscientos mil hombres de a pie, sin contar los niños; y les seguía una turba inmensa, con ovejas y vacas y enorme cantidad de ganado. Cocieron la masa que habían sacado de Egipto haciendo hogazas de pan ázimo[66], pues no había fermentado, porque los egipcios los echaban y no podían detenerse, y tampoco se llevaron provisiones.

La estancia de los israelitas en Egipto duró cuatrocientos treinta años. Cumplidos los cuatrocientos treinta años, el mismo día, salieron de Egipto los escuadrones del Señor. Noche en que veló el Señor para sacarlos de Egipto: noche de vela para los israelitas por todas las generaciones.

29. PASO DEL MAR ROJO

Cuando comunicaron al rey de Egipto que el pueblo había escapado, el Faraón y su corte cambiaron de parecer sobre el pueblo, y se dijeron: «¿Qué hemos hecho? Hemos dejado marchar a nuestros esclavos israelitas». Hizo enganchar un carro y tomó consigo sus tropas: seiscientos carros escogidos y los demás carros de Egipto con sus correspondientes oficiales.

El Señor hizo que el Faraón se empeñase en perseguir a los israelitas, mientras estos salían ostentosamente. Los egipcios los per-

---

[66] *Pan ázimo:* pan sin levadura, o cuya levadura no ha tenido el tiempo de fermentar. Como recuerdo de este hecho, los judíos lo comen todos los años para celebrar la Pascua.

siguieron con caballos, carros y jinetes, y les dieron alcance mientras acampaban en Fejirot, frente a Baal Safón. El Faraón se acercaba, los israelitas alzaron la vista y vieron a los egipcios que avanzaban detrás de ellos, y muertos de miedo gritaron al Señor. Y dijeron a Moisés:

—¿No había sepulcros en Egipto? Nos ha traído al desierto a morir. ¿Qué nos has hecho sacándonos de Egipto? ¿No te decíamos ya en Egipto: «Déjanos en paz, y serviremos a los egipcios; más nos vale servir a los egipcios que morir en el desierto»?

Moisés respondió al pueblo:

—No tengáis miedo; estad firmes y veréis la victoria que el Señor os va a conceder hoy; esos egipcios que estáis viendo hoy, no los volveréis a ver jamás. El Señor peleará por vosotros; vosotros esperad en silencio.

El Señor dijo a Moisés:

—¿Por qué me gritas? Di a los israelitas que avancen. Tú alza el bastón y extiende la mano sobre el mar, y se abrirá en dos, de modo que los israelitas puedan atravesarlo a pie. Yo haré que el Faraón se empeñe en entrar detrás de vosotros y mostraré mi gloria derrotando al Faraón con su ejército, sus carros y jinetes; para que sepa Egipto que yo soy el Señor, cuando muestre mi gloria derrotando al Faraón con sus carros y jinetes.

El ángel de Dios, que caminaba delante del campamento israelita, se levantó y pasó a su retaguardia; la columna de nubes que estaba delante de ellos se puso detrás de ellos, metiéndose entre el campamento egipcio y el campamento israelita; la nube se oscureció y la noche quedó oscura, de modo que no pudieron acercarse unos a otros en toda la noche.

Moisés extendió la mano sobre el mar, el Señor hizo retirarse al mar con un fuerte viento de levante que sopló toda la noche; el mar quedó seco y las aguas se dividieron en dos. Los israelitas entraron por el mar a pie, y las aguas les hacían de muralla a derecha e izquierda. Los egipcios, persiguiéndolos, entraron detrás de ellos por el mar, con los caballos del Faraón, sus carros y sus jinetes.

De madrugada, miró el Señor desde la columna de fuego y de nubes y desbarató al ejército egipcio. Trabó las ruedas de los carros, haciéndolos avanzar pesadamente. Los egipcios dijeron:

—Huyamos de los israelitas, porque el Señor combate por ellos.

Pero Dios dijo a Moisés:

—Tiende tu mano sobre el mar, y las aguas se volverán contra los egipcios, sus carros y sus jinetes.

Moisés tendió su mano sobre el mar: al despuntar el día el mar recobró su estado ordinario, los egipcios en fuga dieron en él, y el Señor arrojó a los egipcios en medio del mar. Las aguas, al reunirse, cubrieron carros, jinetes y todo el ejército del Faraón que habían entrado en el mar en seguimiento de Israel, y no escapó uno solo. Pero los israelitas pasaron a pie enjuto por el mar, mientras las aguas les hacían de muralla a derecha e izquierda.

Aquel día libró el Señor a los israelitas de los egipcios, y los israelitas vieron los cadáveres de los egipcios a la orilla del mar. Los israelitas vieron la mano de Dios magnífica y lo que hizo a los egipcios, temieron al Señor y se fiaron del Señor y de Moisés, su siervo.

30. LA TRAVESÍA DEL DESIERTO

Moisés condujo a los israelitas por el desierto, siguiendo la voluntad de Dios. No tenían agua ni alimentos, y al cabo de unos días el pueblo comenzó a desesperarse.

La comunidad de los israelitas protestó contra Moisés y Aarón en el desierto, diciendo:

—¡Ojalá hubiéramos muerto a manos del Señor en Egipto, cuando nos sentábamos junto a la olla de carne y comíamos pan hasta hartarnos! Nos habéis sacado a este desierto para matar de hambre a toda esta comunidad.

El Señor dijo a Moisés:

—Yo os haré llover pan del cielo: que el pueblo salga a recoger la ración de cada día; lo pondré a prueba, a ver si guarda mi ley o no. El día sexto prepararán lo que hayan recogido, y será el doble de lo que recogen a diario.

Moisés y Aarón dijeron a los israelitas:

—Esta tarde sabréis que es el Señor quien os ha sacado de Egipto, y mañana veréis la gloria del Señor. Ha oído vuestras protestas contra el Señor; pues ¿qué somos nosotros para que protestéis contra nosotros? Esta tarde os dará de comer carne y mañana os saciará de pan; el Señor os ha oído protestar contra él; ¿nosotros qué somos? No habéis protestado contra nosotros, sino contra el Señor.

Moisés dijo a Aarón:

—Di a la asamblea de los israelitas: «Acercaos al Señor, que ha escuchado vuestras protestas».

Mientras Aarón hablaba a la asamblea, ellos se volvieron hacia el desierto y vieron la gloria del Señor, que aparecía en una nube.

El Señor dijo a Moisés:

—He oído las protestas de los israelitas. Diles: «Hacia el crepúsculo comeréis carne, por la mañana os saciaréis de pan, para que sepáis que yo soy el Señor, vuestro Dios».

Por la tarde, una bandada de codornices cubrió todo el campamento; por la mañana había una capa de rocío alrededor del campamento. Cuando se evaporó la capa de rocío, apareció en la superficie del desierto un polvo fino parecido a la escarcha. Al verlo, los israelitas preguntaron:

—¿Qué es esto? —pues no sabían lo que era.

Moisés les dijo:

—Es el pan que el Señor os da para comer. Estas son las órdenes del Señor: que cada uno recoja lo que pueda comer, dos litros por cabeza para todas las personas que vivan en cada tienda.

Así lo hicieron los israelitas: unos recogieron más, otros menos. Y al medirlo en el celemín[67], no sobraba al que había recogido más, ni faltaba al que había recogido menos: había recogido cada uno lo que podía comer.

Moisés les dijo:

—Que nadie guarde para mañana.

Pero no le hicieron caso, sino que algunos guardaron para el día siguiente, y salieron gusanos que lo pudrieron. Y Moisés se enfadó con ellos.

Lo recogían cada mañana, cada uno lo que iba a comer, porque el calor del sol lo derretía. El día sexto recogían el doble, cuatro litros cada uno. Los jefes de la comunidad informaron a Moisés y él les contestó:

—Es lo que había dicho el Señor: mañana es sábado, descanso dedicado al Señor; coced lo que tengáis que cocer y guisad lo que tengáis que guisar, y lo que sobre, apartadlo y guardadlo para mañana.

Ellos lo apartaron para el día siguiente, como había mandado Moisés, y no le salieron gusanos ni se pudrió. Moisés les dijo:

—Comedlo hoy, porque hoy es descanso dedicado al Señor, y no lo encontraréis en el campo; recogedlo los seis días, pues el séptimo es descanso y no lo habrá.

El día séptimo salieron algunos a recoger y no encontraron. El Señor dijo a Moisés:

—¿Hasta cuándo os negaréis a cumplir mis mandatos y preceptos? El Señor es quien os da el descanso; por eso el día sexto os

---

[67] *Celemín:* medida de capacidad.

da el pan de dos días. Que cada uno se quede en su puesto sin salir de su tienda el día séptimo.

El pueblo descansó el día séptimo. Los israelitas llamaron a aquella sustancia «maná»: era blanca, como semillas de coriandro[68] y sabía a galletas de miel. Dijo Moisés:

—Estas son las órdenes del Señor: «Conserva dos litros de ello para que las generaciones futuras puedan ver el pan que os di a comer en el desierto cuando os saqué de Egipto».

Moisés ordenó a Aarón:

—Toma una jarra, mete en ella dos litros de maná y colócalo ante el Señor; que se conserve para las generaciones futuras.

Aarón, según el mandato del Señor a Moisés, lo colocó ante el documento de la alianza, para que se conservase. Los israelitas comieron maná durante cuarenta años, hasta que llegaron a tierra habitada. Comieron maná hasta atravesar la frontera de Canaán.

31. La Alianza en el monte Sinaí

Aquel día, al cumplir tres meses de la salida de Egipto, los israelitas llegaron al desierto de Sinaí; saliendo de Rafidín llegaron al desierto de Sinaí y acamparon allí, frente al monte. Moisés subió hacia el monte de Dios y el Señor lo llamó desde el monte, y le dijo:

—Habla así a la casa de Jacob, diles a los hijos de Israel: «Vosotros habéis visto lo que hice a los egipcios, os llevé en alas de águila y os traje a mí; por tanto, si queréis obedecerme y guardar mi alianza, entre todos los pueblos seréis mi propiedad, porque es mía toda la tierra. Seréis un pueblo sagrado, un reino sacerdotal». Esto es lo que has de decir a los israelitas.

---

[68] *Coriandro:* especia llamada también cilantro.

Moisés volvió, convocó a las autoridades del pueblo y les expuso todo lo que le había mandado el Señor. Todo el pueblo a una respondió:

—Haremos cuanto dice el Señor.

Moisés comunicó al Señor la respuesta, y el Señor le dijo:

—Voy a acercarme a ti en una nube espesa, para que el pueblo pueda escuchar lo que hablo contigo y te crea en adelante.

Moisés comunicó al Señor lo que el pueblo había dicho. Y el Señor le dijo:

—Vuelve a tu pueblo, purifícalos hoy y mañana, que se laven la ropa, y estén preparados para pasado mañana, pues pasado mañana bajará el Señor al monte Sinaí, a la vista del pueblo. Traza un límite alrededor y avisa al pueblo que se guarde de subir al monte o acercarse a la falda.

Al tercer día por la mañana hubo truenos y relámpagos y una nube espesa en el monte, mientras el toque de la trompeta crecía en intensidad, y el pueblo se echó a temblar en el campamento. Moisés sacó al pueblo del campamento a recibir a Dios, y se quedaron firmes al pie de la montaña. El monte Sinaí era todo una humareda, porque el Señor bajó a él con fuego; se alzaba el humo como de un horno, y toda la montaña temblaba. El toque de la trompeta iba creciendo en intensidad mientras Moisés hablaba y Dios le respondía con el trueno. El Señor bajó a la cumbre del monte Sinaí, y llamó a Moisés a la cumbre. Cuando este subió, el Señor le dijo:

—Baja al pueblo y mándales que no traspasen los límites para ver al Señor, porque morirían muchísimos. Y a los sacerdotes que se han de acercar al Señor purifícalos, para que el Señor no arremeta contra ellos.

Moisés contestó al Señor:

—El pueblo no puede subir al monte Sinaí, pues tú mismo nos has mandado trazar un círculo que marque la montaña sagrada.

El Señor insistió:

—Anda, baja y después sube con Aarón; que el pueblo y los sacerdotes no traspasen el límite para subir a donde está el Señor, pues él arremetería contra ellos.

Entonces Moisés bajó al pueblo y se lo dijo.

—Dios ha pronunciado las siguientes palabras:

«Yo soy el Señor, tu Dios, que te saqué de Egipto, de la esclavitud. No tendrás otros dioses rivales míos. No te harás una imagen, figura alguna de lo que hay arriba en el cielo, abajo en la tierra o en el agua bajo tierra. No te postrarás ante ellos, ni les darás culto; porque yo, el Señor, tu Dios, soy un Dios celoso: castigo la culpa de los padres en los hijos, nietos y bisnietos cuando me aborrecen; pero actúo con lealtad por mil generaciones cuando me aman y guardan mis preceptos. No pronunciarás el nombre del Señor, tu Dios, en falso. Porque no dejará el Señor impune a quien pronuncie su nombre en falso. Fíjate en el sábado para santificarlo. Durante seis días trabaja y haz tus tareas, pero el día séptimo es un día de descanso, dedicado al Señor, tu Dios: no harás trabajo alguno, ni tú, ni tu hijo, ni tu hija, ni tu esclavo, ni tu esclava, ni tu ganado, ni el emigrante que viva en tus ciudades. Porque en seis días hizo el Señor el cielo, la tierra y el mar y lo que hay en ellos, y el séptimo descansó; por eso bendijo el Señor el sábado y lo santificó. Honra a tu padre y a tu madre; así prolongarás tu vida en la tierra que el Señor, tu Dios, te va a dar. No matarás. No cometerás adulterio. No robarás. No darás testimonio falso contra tu prójimo. No codiciarás los bienes de tu prójimo; no codiciarás la mujer de tu prójimo, ni su esclavo, ni su esclava, ni su buey, ni su asno, ni nada que sea de él».

Todo el pueblo percibía los truenos y relámpagos, el sonar de la trompeta y la montaña humeante. Y el pueblo estaba aterrorizado, y se mantenía a distancia.

Y dijeron a Moisés:

—Háblanos tú y te escucharemos; que no nos hable Dios, que moriremos.

Moisés respondió al pueblo:

—No temáis: Dios ha venido para probaros, para que tengáis presente su temor y no pequéis.

El pueblo se quedó a distancia y Moisés se acercó hasta la nube donde estaba Dios.

El Señor dijo a Moisés:

—Sube a mí con Aarón, Nadab y Abihú y los setenta dirigentes de Israel y prosternaos a distancia. Después se acercará Moisés solo, no ellos, y el pueblo que no suba.

Moisés bajó y refirió al pueblo todo lo que le había dicho el Señor, todos sus mandatos, y el pueblo contestó a una:

—Haremos todo lo que dice el Señor.

Entonces Moisés puso por escrito todas las palabras del Señor; madrugó y levantó un altar en la falda del monte y doce estelas por las doce tribus de Israel. Mandó a algunos jóvenes israelitas ofrecer los holocaustos y ofrecer novillos[69] como sacrificios de comunión para el Señor. Después tomó la mitad de la sangre y la echó en recipientes, y con la otra mitad roció el altar. Tomó el documento del pacto y se lo leyó en voz alta al pueblo, el cual respondió:

—Haremos todo lo que manda el Señor y obedeceremos.

Moisés tomó el resto de la sangre y roció con ella al pueblo, diciendo:

—Esta es la sangre del pacto que el Señor hace con vosotros a tenor de estas cláusulas.

Subieron Moisés, Aarón, Nadab, Abihú y los setenta dirigentes de Israel, y vieron al Dios de Israel: bajo los pies tenía una especie de pavimento de zafiro, límpido como el mismo cielo.

---

[69] *Novillo:* toro o vaca de dos o tres años.

Dios no extendió la mano contra los notables de Israel, que pudieron contemplar a Dios, y después comieron y bebieron. El Señor dijo a Moisés:

—Sube hacia mí, al monte, que allí estaré yo para darte las losas de piedra con la ley y los mandatos que he escrito para instruirlos.

Se levantó Moisés y subió con Josué, su ayudante, al monte de Dios; a los dirigentes les dijo:

—Quedaos aquí hasta que yo vuelva. Aarón y Jur están con vosotros; el que tenga algún asunto, que se lo traiga a ellos.

Cuando Moisés subió al monte, la nube lo cubría y la gloria del Señor descansaba sobre el monte Sinaí, y la nube lo cubrió durante seis días. Al séptimo día llamó a Moisés desde la nube. La gloria del Señor apareció a los israelitas como fuego voraz sobre la cumbre del monte. Moisés se adentró en la nube y subió al monte, y estuvo allí cuarenta días con sus noches.

Allí Dios dio diversas órdenes a Moisés. Le mandó construir el arca de la Alianza, donde debía guardar las tablas de la ley, que contenían los diez mandamientos que acababa de revelarle.

32. EL BECERRO DE ORO

Viendo el pueblo que Moisés tardaba en bajar del monte, acudió en masa ante Aarón, y le dijo:

—Anda, haznos un dios que vaya delante de nosotros; pues a ese Moisés que nos sacó de Egipto no sabemos qué le ha pasado.

Aarón les contestó:

—Quitadles los pendientes de oro a vuestras mujeres, hijos e hijas y traédmelos.

Todo el pueblo se quitó los pendientes de oro y se los trajo a Aarón. Él los recibió, hizo trabajar el oro a cincel[70] y fabricó un novillo de fundición. Después les dijo:

—Este es tu Dios, Israel, que te sacó de Egipto.

Después, con reverencia, edificó un altar ante él y proclamó:

—Mañana es fiesta del Señor.

Al día siguiente se levantaron, ofrecieron holocaustos y sacrificios de comunión, el pueblo se sentó a comer y beber y después se levantó a danzar. El Señor dijo a Moisés:

—Anda, baja del monte, que se ha pervertido tu pueblo, el que tú sacaste de Egipto. Pronto se han desviado del camino que yo les había señalado. Se han hecho un novillo de metal, se postran ante él, le ofrecen sacrificios y proclaman: «Este es tu Dios, Israel, el que te sacó de Egipto». —Y el Señor añadió a Moisés—: Veo que este pueblo es un pueblo testarudo. Por eso déjame: mi ira se va a encender contra ellos hasta consumirlos. Y de ti sacaré un gran pueblo.

Entonces Moisés aplacó al Señor, su Dios, diciendo:

—¿Por qué, Señor, se va a encender tu ira contra tu pueblo, que tú sacaste de Egipto con gran poder y mano robusta? ¿Tendrán que decir los egipcios: «Con mala intención los sacó, para hacerlos morir en las montañas y exterminarlos de la superficie de la tierra»? Desiste del incendio de tu ira, arrepiéntete de la amenaza contra tu pueblo. Acuérdate de tus siervos Abraham, Isaac e Israel, a quienes juraste por ti mismo, diciendo: «Multiplicaré vuestra descendencia como las estrellas del cielo, y toda esta tierra de que he hablado se la daré a vuestra descendencia, para que la posea siempre».

Y el Señor se arrepintió de la amenaza que había pronunciado contra su pueblo. Moisés se volvió y bajó del monte con las dos tablas de la alianza en la mano. Las tablas estaban escritas por am-

---

[70] *Cincel:* herramienta que sirve para labrar piedra y metales.

bos lados, por delante y por detrás; eran hechura de Dios y la escritura era escritura de Dios grabada en las tablas. Al oír Josué el griterío del pueblo, dijo a Moisés:

—Se oyen gritos de guerra en el campamento.

Contestó él:

—No es grito de victoria, no es grito de derrota, que son cantos lo que oigo.

Al acercarse al campamento y ver el becerro y las danzas, Moisés, enfurecido, tiró las tablas y las rompió al pie del monte. Después agarró el becerro que habían hecho, lo quemó y lo trituró hasta hacerlo polvo, que echó en agua, haciéndoselo beber a los israelitas. Moisés dijo a Aarón:

—¿Qué te ha hecho este pueblo para que le acarreases tan enorme pecado?

Contestó Aarón:

—No te irrites, señor. Sabes que este pueblo es perverso. Me dijeron: «Haznos un dios que vaya delante de nosotros, pues a ese Moisés que nos sacó de Egipto no sabemos qué le ha pasado». Yo les dije: «Quien tenga oro que se desprenda de él y me lo dé». Yo lo eché al fuego y salió este becerro.

Moisés, viendo que el pueblo estaba desmandado por culpa de Aarón, que lo había expuesto al ataque enemigo, se plantó a la puerta del campamento y gritó:

—¡A mí los del Señor!

Y se le juntaron todos los levitas. Él les dijo:

—Esto dice el Señor de Israel: «Ciña cada uno la espada al muslo, pasad y repasad el campamento de puerta a puerta matando, aunque sea al hermano, al compañero, al pariente».

Los levitas cumplieron las órdenes de Moisés, y aquel día cayeron unos tres mil hombres del pueblo. Moisés les dijo:

—Hoy os habéis consagrado al Señor, a costa del hijo o del hermano, ganándoos hoy su bendición. —Al día siguiente Moisés dijo al pueblo—: Habéis cometido un pecado gravísimo; pero ahora subiré al Señor a ver si puedo expiar vuestro pecado.

Volvió, pues, Moisés al Señor y le dijo:

—Este pueblo ha cometido un pecado gravísimo haciéndose dioses de oro. Pero ahora, o perdonas su pecado o me borras de tu registro.

El Señor respondió:

—Al que haya pecado contra mí lo borraré del libro. Ahora ve y guía a tu pueblo al sitio que te dije: mi ángel irá delante de ti. Y cuando llegue el día de la cuenta, les pediré cuentas de su pecado.

Y el Señor castigó al pueblo por venerar el becerro que había hecho Aarón.

33. MOISÉS EN LA TIENDA DEL ENCUENTRO

Moisés levantó la tienda de Dios y la plantó fuera, a distancia del campamento, y la llamó «tienda del encuentro». El que tenía que consultar al Señor, salía fuera del campamento y se dirigía a la tienda del encuentro.

Cuando Moisés salía en dirección a la tienda, todo el pueblo se levantaba y esperaba a la entrada de sus tiendas, siguiendo con la vista a Moisés hasta que entraba en la tienda; en cuanto él entraba, la columna de nube bajaba y se quedaba a la entrada de la tienda, mientras el Señor hablaba con Moisés. Cuando el pueblo veía la columna de nube parada a la puerta de la tienda, se levantaba y se prosternaba cada uno a la entrada de su tienda.

El Señor hablaba con Moisés cara a cara, como habla un hombre con un amigo. Después él volvía al campamento, mientras que Josué, hijo de Nun, su joven ayudante, no se apartaba de la tienda.

34. Hacia la tierra prometida

Los israelitas marcharon por el desierto hasta llegar a una zona limítrofe con la tierra de Canaán: la tierra prometida. Mandaron entonces a sus jefes para que inspeccionaran el terreno, y estos volvieron contando que era una tierra maravillosa, que manaba leche y miel, pero en la que vivían pueblos muy aguerridos a los que sería imposible derrotar.

Los israelitas se revolvieron de nuevo contra Moisés y Aarón por haberlos conducido por el desierto, pues se creían destinados a una muerte segura. Dios se enfureció entonces por la poca confianza del pueblo en sus promesas y amenazó con acabar con los israelitas. Moisés le pidió clemencia.

El Señor respondió:

—Perdono, como me lo pides. Pero ¡por mi vida y por la gloria del Señor que llena la tierra!, ninguno de los hombres que vieron mi gloria y los signos que hice en Egipto y en el desierto, y me han puesto a prueba, ya van diez veces, y no me han obedecido, verá la tierra que prometí a sus padres, ninguno de los que me han despreciado la verá. Pero a mi siervo Caleb, que tiene otro espíritu y me fue enteramente fiel, lo haré entrar en la tierra que ha visitado, y sus descendientes la poseerán. Mañana os dirigiréis al desierto, camino del Mar Rojo. —El Señor añadió a Moisés y a Aarón—: ¿Hasta cuándo seguirá esta comunidad malvada protestando contra mí? He oído a los israelitas protestar contra mí. Pues diles: ¡Por mi vida!, oráculo del Señor, que os haré lo que me habéis dicho en la cara; en este desierto caerán vuestros cadáveres, y de todo vuestro censo, contando de veinte años para arriba, los que protestasteis contra mí, no entraréis en la tierra donde juré que os establecería. Solo exceptúo a Josué, hijo de Nun, y a Caleb, hijo de Jefoné. A vuestros niños, de quienes dijisteis que caerían cautivos, los haré entrar para que conozcan la tierra que vosotros habéis despreciado. Mientras que vuestros cadáveres caerán en este desierto. Vuestros hijos serán pastores en el desierto durante cuarenta años y cargarán con vuestra infidelidad, hasta que se consuman vuestros cadáveres en el desierto. Contando los días que explorasteis la tierra, cuarenta días, cargaréis con vuestra culpa un año por cada día, cuarenta años. Para que sepáis lo que es desobedecerme. Yo, el Señor, juro que trataré así a esa comunidad perversa que se ha amotinado contra mí: en este desierto se consumirán y en él morirán.

Los israelitas prosiguieron su travesía por el desierto, sabiendo ya que ninguno de los que habían vivido la liberación de Egipto vería la tierra prometida. Fueron encontrándose con diversos pueblos en su camino, y Dios les ayudó a derrotarlos.

35. La burra de Balaán

Tras vencer a los amorreos, los israelitas llegaron a la tierra de Moab. Balac, rey de los moabitas, había oído ya hablar de ese numeroso pueblo que había salido de Egipto y mandó llamar a Balaán, un famoso oráculo que vivía en el país de los amonitas, para que le bendijera y pronosticara qué futuro le esperaba tras la llegada de los israelitas. Balaán, tras escuchar el requerimiento, consultó con Dios durante la noche, y el Señor le dijo que no fuera a ver a Balac ni maldijera a los israelitas, pues eran un pueblo bendito. Así, Balaán, en un primer momento, se negó a seguirles.

Dios vino de noche a donde estaba Balaán y le dijo:
—Ya que esos hombres han venido a llamarte, levántate y vete con ellos; pero harás lo que yo te diga.

Balaán se levantó de mañana, aparejó la borrica y se fue con los jefes de Moab. Al verlo ir, se encendió la ira de Dios, y el ángel del Señor se plantó en el camino haciéndole frente. Él iba montado en la borrica, acompañado de dos criados. La borrica, al ver al ángel del Señor plantado en el camino, con la espada desenvainada en la mano, se desvió del camino y tiró por el campo. Pero Balaán le dio de palos para volverla al camino.

El ángel del Señor se colocó en un paso estrecho, entre viñas, con dos cercas a ambos lados. La borrica, al ver al ángel del Señor, se arrimó a la cerca, pillándole la pierna a Balaán contra la tapia. Él la volvió a golpear.

El ángel del Señor se adelantó y se colocó en un paso angosto[71], que no permitía desviarse ni a derecha ni a izquierda. Al ver la borrica al ángel del Señor, se tumbó debajo de Balaán. Él, enfurecido, se puso a golpearla. El Señor abrió la boca a la borrica y esta dijo a Balaán:

—¿Qué te he hecho para que me apalees por tercera vez?

Contestó Balaán:

—Que te burlas de mí. Si tuviera a mano un puñal, ahora mismo te mataría.

Dijo la borrica:

—¿No soy yo tu borrica, en la que montas desde hace tiempo? ¿Me solía portar contigo así?

Contestó él:

—No.

Entonces el Señor abrió los ojos a Balaán, y este vio al ángel del Señor plantado en el camino con la espada desenvainada en la mano, e inclinándose se postró rostro en tierra. El ángel del Señor le dijo:

—¿Por qué golpeas a tu burra por tercera vez? Yo he salido a hacerte frente, porque sigues un mal camino. La borrica me vio y

---

[71] *Angosto:* estrecho.

se apartó de mí tres veces. Si no se hubiera apartado, ya te habría matado yo a ti, dejándola viva a ella.

Balaán respondió al ángel del Señor:

—He pecado, porque no sabía que estabas en el camino, frente a mí. Pero ahora, si te parece mal mi viaje, me vuelvo a casa.

El ángel del Señor respondió a Balaán:

—Vete con esos hombres; pero dirás únicamente lo que yo te diga.

Y Balaán prosiguió con los ministros de Balac.

Balaán habló a Balac, rey de los moabitas, con las palabras que Dios le ponía en la boca. Bendijo al pueblo de Israel y pronosticó que conquistaría aquella tierra.

36. Josué, sucesor de Moisés

El Señor dijo a Moisés:

—Sube al monte Abarín y mira la tierra que voy a dar a los israelitas. Después de verla te reunirás también tú con los tuyos, como ya Aarón, tu hermano, se ha reunido con ellos. Porque os rebelasteis en el desierto de Sin, cuando la comunidad protestó, y no les hicisteis ver mi santidad junto a la fuente, Meribá, en Cades, en el desierto de Sin.

Moisés dijo al Señor:

—Que el Señor, Dios de los espíritus de todos los vivientes, nombre un jefe para la comunidad; uno que salga y entre al frente de ellos, que los lleve en sus entradas y salidas. Que no quede la comunidad del Señor como rebaño sin pastor.

El Señor dijo a Moisés:

—Toma a Josué, hijo de Nun, hombre de grandes cualidades, impón la mano sobre él, preséntaselo a Eleazar, el sacerdote, y a toda la comunidad, dale instrucciones en su presencia y delégale parte de tu autoridad, para que la comunidad de Israel le obedezca. Se presentará a Eleazar, el sacerdote, que consultará por él al Señor por medio de las suertes, y conforme al oráculo, saldrán y entrarán él y los israelitas, toda la comunidad.

Moisés hizo lo que el Señor le había mandado: tomó a Josué, lo colocó delante del sacerdote Eleazar y de toda la asamblea, le impuso las manos y le dio las instrucciones recibidas del Señor.

37. MUERTE DE MOISÉS

Moisés subió de la estepa de Moab al monte Nebo, a la cima del Fasga, que mira a Jericó, y el Señor le mostró toda la tierra: Galaad hasta Dan, el territorio de Neftalí, de Efraín y de Manasés, el de Judá hasta el Mar Occidental; el Negueb y la comarca del valle de Jericó (la ciudad de las palmeras) hasta Soar, y le dijo:

—Esta es la tierra que prometí a Abraham, a Isaac y a Jacob, diciéndoles: «Se la daré a tu descendencia. Te la he hecho ver con tus propios ojos, pero no entrarás en ella».

Y allí murió Moisés, siervo del Señor, en Moab, como había dicho el Señor. Lo enterraron en el valle de Moab, frente a Bet Fegor, y hasta el día de hoy nadie ha conocido el lugar de su tumba. Moisés murió a la edad de ciento veinte años: no había perdido vista ni había decaído su vigor.

Los israelitas lloraron a Moisés en la estepa de Moab treinta días, hasta que terminó el tiempo del duelo por Moisés. Josué, hijo de Nun, poseía grandes dotes de prudencia, porque Moisés le había impuesto las manos. Los israelitas le obedecieron e hicieron lo que el Señor había mandado a Moisés. Pero ya no surgió en Israel otro profeta como Moisés, con quien el Señor trataba cara a cara; ni semejante a él en los signos y prodigios que el Señor le envió a hacer en Egipto contra el Faraón, su corte y su país; ni en la mano poderosa, en los terribles portentos que obró Moisés en presencia de todo Israel.

38. LA LLEGADA A LA TIERRA PROMETIDA

Después que murió Moisés, siervo del Señor, dijo el Señor a Josué, hijo de Nun, ministro de Moisés:

—Moisés, mi siervo, ha muerto. Anda, pasa el Jordán con todo este pueblo, en marcha hacia el país que voy a darles. La tierra donde pongáis el pie os la doy, como prometí a Moisés. Vuestro territorio se extenderá desde el desierto hasta el Líbano, desde el gran río Éufrates hasta el Mediterráneo, en occidente. Mientras vivas nadie podrá resistirte. Como estuve con Moisés estaré contigo; no te dejaré ni te abandonaré. ¡Ánimo, sé valiente!, que tú repartirás a este pueblo la tierra que prometí con juramento a vuestros padres. Tú ten mucho ánimo y sé valiente para cumplir todo lo que te mandó mi siervo Moisés; no te desvíes a derecha ni a izquierda, y tendrás éxito en todas tus empresas. Que el libro de esa Ley no se te caiga de los labios; medítalo día y noche, para poner por obra todas sus cláusulas; así prosperarán tus empresas y tendrás éxito. ¡Yo te lo mando! ¡Ánimo, sé valiente! No te asustes ni te acobardes, que contigo está el Señor, tu Dios, en todas tus empresas.

Entonces Josué ordenó a los alguaciles[72]:

---

[72] *Alguacil:* encargado de administrar justicia. En este caso se refiere a los ayudantes de Josué en el gobierno de la comunidad.

—Id por el campamento y echad este pregón a la gente: «Abasteceos de víveres, porque dentro de tres días pasaréis el Jordán para ir a tomar posesión de la tierra que el Señor, vuestro Dios, os da en propiedad».

Josué, hijo de Nun, mandó en secreto dos espías desde Sittim con el encargo de examinar el país. Ellos se fueron, llegaron a Jericó, entraron en casa de una prostituta llamada Rajab y se hospedaron allí. Pero llegó el soplo al rey de Jericó:

—¡Cuidado! Han llegado aquí esta tarde unos israelitas a reconocer el país.

El rey de Jericó mandó decir a Rajab:

—Saca a los hombres que han entrado en tu casa, porque han venido a reconocer todo el país.

Ella, que había metido a los dos hombres en un escondite, respondió:

—Es cierto, vinieron aquí; pero yo no sabía de dónde eran. Y cuando se iban a cerrar las puertas al oscurecer, ellos se marcharon, no sé adónde. Si salís en seguida tras ellos, los alcanzaréis.

Rajab había hecho subir a los espías a la azotea, y los había escondido entre los haces[73] de lino que tenía apilados allí. Los guardias salieron en su busca por el camino del Jordán, hacia los vados; en cuanto salieron, se cerraron las puertas de la villa. Antes de que los espías se acostaran, Rajab subió donde ellos, a la azotea, y les dijo:

—Sé que el Señor os ha entregado el país, que nos ha caído encima una ola de terror y que toda la gente de aquí tiembla ante vosotros; porque hemos oído que el Señor secó el agua del Mar Rojo ante vosotros cuando os sacó de Egipto y lo que hicisteis con los dos reyes amorreos de Transjordania, que los exterminas-

---

[73] *Haz:* porción atada de lino, hierbas o leña.

teis; al oírlo nos descorazonamos, y todos se han quedado sin aliento ante vosotros; porque el Señor, vuestro Dios, es Dios arriba en el cielo y abajo en la tierra. Ahora juradme por el Señor que como os he sido leal, vosotros lo seréis con mi familia, y dadme una señal segura de que dejaréis con vida a mi padre y a mi madre, a mis hermanos y hermanas y a todos los suyos y que nos libraréis de la matanza.

Ellos le juraron:

—¡Nuestra vida a cambio de la vuestra, con tal que no nos denuncies! Cuando el Señor nos entregue el país, te perdonaremos la vida.

Entonces ella se puso a descolgarlos con una soga por la ventana, porque la casa donde vivía estaba pegando a la muralla, y les dijo:

—Id al monte, para que no os encuentren los que os andan buscando, y quedaos allí escondidos tres días, hasta que ellos regresen; luego seguís vuestro camino.

Contestaron:

—Nosotros respondemos de ese juramento que nos has exigido, con esta condición: al entrar nosotros en el país, ata esta cinta roja a la ventana por la que nos descuelgas, y a tu padre y tu madre, a tus hermanos y toda tu familia los reúnes aquí, en tu casa. El que salga a la calle, será responsable de su muerte, no nosotros; nosotros seremos responsables de la muerte de cualquiera que esté contigo en tu casa si alguien lo toca. Pero si nos denuncias, no respondemos del juramento que nos has exigido.

Rajab contestó:

—De acuerdo.

Y los despidió. Se marcharon, y ella ató a la ventana la cinta roja.

Se marcharon al monte, y estuvieron allí tres días, hasta que regresaron los que fueron en su busca; por más que los buscaron por todo el camino, no dieron con ellos. Los dos espías se volvieron monte abajo, cruzaron el río, llegaron hasta Josué y le contaron todo lo que les había pasado; le dijeron:

—El Señor nos entrega todo el país. Toda la gente tiembla ante nosotros.

Los israelitas, guiados por Josué, se dispusieron a atravesar el río Jordán.

39. La conquista de Jericó

Jericó estaba cerrada a cal y canto ante los israelitas. Nadie salía ni entraba. El Señor dijo a Josué:

—Mira, entrego en tu poder a Jericó y su rey. Todos los soldados rodead la ciudad dando una vuelta alrededor, y así durante seis días. Siete sacerdotes llevarán siete trompas delante del arca; al séptimo día daréis siete vueltas a la ciudad, y los sacerdotes tocarán las trompas. Cuando den un toque prolongado, cuando oigáis el sonido de la trompa, todo el ejército lanzará el alarido de guerra; se desplomarán las murallas de la ciudad, y cada uno la asaltará desde su puesto.

Josué, hijo de Nun, llamó a los sacerdotes y les mandó:

—Llevad el arca de la Alianza, y que siete sacerdotes lleven siete trompas delante del arca del Señor.

Y luego a la tropa:

—Marchad a rodear la ciudad; los que lleven armas pasen delante del arca del Señor.

Después de dar Josué estas órdenes a la tropa, siete sacerdotes, llevando siete trompas, se pusieron delante del Señor y empezaron a tocar. El arca del Señor los seguía; los soldados armados marchaban delante de los sacerdotes que tocaban las trompas; el resto del ejército marchaba detrás del arca. Las trompas acompañaban la marcha.

Josué había dado esta orden a la tropa:

—No lancéis el alarido de guerra, no alcéis la voz, no se os escape una palabra hasta el momento en que yo os mande gritar; entonces gritaréis.

Dieron una vuelta a la ciudad con el arca del Señor y se volvieron al campamento para pasar la noche. Josué se levantó de madrugada, y los sacerdotes tomaron el arca del Señor. Siete sacerdotes, llevando siete trompas delante del arca del Señor, acompañaban la marcha con las trompas. Aquel segundo día dieron una vuelta a la ciudad y se volvieron al campamento. Así hicieron seis días.

El día séptimo, al despuntar el sol, madrugaron y dieron siete vueltas a la ciudad, conforme al mismo ceremonial. La única diferencia fue que el día séptimo dieron siete vueltas a la ciudad. A la séptima vuelta, los sacerdotes tocaron las trompas y Josué ordenó a la tropa:

—¡Gritad, que el Señor os entrega la ciudad! Esta ciudad, con todo lo que hay en ella, se consagra al exterminio en honor del Señor. Solo han de quedar con vida la prostituta Rajab y todos los que estén con ella en casa, porque escondió a nuestros emisarios. Cuidado, no se os vayan los ojos y cojáis algo de lo consagrado al exterminio; porque acarrearíais una desgracia haciendo execrable el campamento de Israel. Toda la plata y el oro y el ajuar de bronce y hierro se consagran al Señor: irán a parar a su tesoro.

Sonaron las trompas. Al oír el toque, lanzaron todos el alarido de guerra. Las murallas se desplomaron y el ejército dio el asalto a la ciudad, cada uno desde su puesto, y la conquistaron. Consagraron al exterminio todo lo que había dentro: hombres y mujeres, muchachos y ancianos, vacas, ovejas y burros, todo lo pasaron a cuchillo. Josué había encargado a los dos espías:

—Id a casa de la prostituta y sacadla de allí con todo lo que tenga, como le jurasteis.

Los espías fueron y sacaron a Rajab, a su padre, madre y hermanos y todo lo que tenía, y los dejaron fuera del campamento israelita. Incendiaron la ciudad y cuanto había en ella. Solo la plata, el oro y el ajuar de bronce y hierro lo destinaron al tesoro del Señor.

Josué perdonó la vida a Rajab, la prostituta, a su familia y a todo lo suyo. Rajab vivió en medio de Israel hasta hoy, por haber escondido a los emisarios que envió Josué a explorar Jericó. En aquella ocasión juró Josué:

—¡Maldito de Dios el que reedifique esta ciudad! La vida del primogénito le cuesten los cimientos y la vida del benjamín[74], las puertas.

El Señor estuvo con Josué, y su fama se divulgó por toda la comarca.

Josué conquistó la tierra de Canaán, tal como Dios le había prometido a Moisés. Después repartió el país entre las tribus de Israel: un pedazo para los descendientes de cada uno de los hijos de Jacob (Rubén, Simeón, Judá, Zabulón, Isacar, Dan, Gad, Aser, Neftalí, Benjamín, y los dos hijos de José: Efraím y Manasés). Los descendientes de Leví no recibieron tierra porque eran sacerdotes y se repartieron las ciudades. El país quedó pacificado, después de haber exterminado a gran parte de sus antiguos habitantes (aunque no a todos). Unos años más tarde, murió Josué.

---

[74] *Benjamín:* como Benjamín fue el último hijo de Jacob, se utiliza este nombre para nombrar al más pequeño de una familia o grupo de personas.

40. Dios envía jueces

Los israelitas hicieron lo que el Señor reprueba: dieron culto a los ídolos, abandonaron al Señor, Dios de sus padres, que los había sacado de Egipto, y se fueron tras otros dioses, dioses de las naciones vecinas, y los adoraron, irritando al Señor. Abandonaron al Señor y dieron culto a Baal y a Astarté.

El Señor se encolerizó contra Israel: los entregó a bandas de saqueadores, que los saqueaban; los vendió a los enemigos de alrededor, y los israelitas no podían resistirles. En todo lo que emprendían, la mano del Señor se les ponía en contra, exactamente como él les había dicho y jurado, llegando así a una situación desesperada. Entonces el Señor hacía surgir jueces[75], que los libraban de las bandas de salteadores; pero ni a los jueces hacían caso, sino que se prostituían con otros dioses, dándoles culto, desviándose muy pronto de la senda por donde habían caminado sus padres, obedientes al Señor. No hacían como ellos.

Cuando el Señor hacía surgir jueces, el Señor estaba con el juez, y mientras vivía el juez, los salvaba de sus enemigos, porque le daba lástima oírlos gemir bajo la tiranía de sus opresores. Pero en cuanto moría el juez, recaían y se portaban peor que sus padres, yendo tras otros dioses, rindiéndoles adoración; no se apartaban de sus maldades ni de su conducta obstinada.

El Señor se encolerizó contra Israel y dijo:

—Ya que este pueblo ha violado mi pacto, el que yo estipulé con sus padres, y no han querido obedecerme, tampoco yo seguiré quitándoles de delante a ninguna de las naciones que Josué

---

[75] La palabra juez se refiere a un líder que dirige durante un tiempo a la comunidad.

dejó al morir; tentaré con ellas a Israel, a ver si siguen o no el camino del Señor, a ver si caminan por él como sus padres.

Por eso dejó el Señor aquellas naciones, sin expulsarlas en seguida, y no se las entregó a Josué.

41. NACIMIENTO DE SANSÓN

Los israelitas volvieron a hacer lo que el Señor reprueba, y el
Señor los entregó a los filisteos por cuarenta años.

Había en Sorá un hombre de la tribu de Dan, llamado Manoj.
Su mujer era estéril y no había tenido hijos. El ángel del Señor se
apareció a la mujer y le dijo:

—Eres estéril y no has tenido hijos. Pero concebirás y darás a
luz un hijo; ten cuidado de no beber vino ni licor, ni comer nada
impuro, porque concebirás y darás a luz un hijo. No pasará la navaja por su cabeza, porque el niño estará consagrado a Dios desde
antes de nacer. Él empezará a salvar a Israel de los filisteos.

La mujer fue a decirle a su marido:

—Me ha visitado un hombre de Dios que, por su aspecto terrible, parecía un mensajero divino; pero no le pregunté de dónde
era ni él me dijo su nombre. Solo me dijo: «Concebirás y darás a
luz un hijo; ten cuidado de no beber vino ni licor, ni comer nada
impuro, porque el niño estará consagrado a Dios desde antes de
nacer hasta el día de su muerte».

Manoj oró así al Señor:

—Perdón, Señor: que vuelva ese hombre de Dios que enviaste
te y nos indique lo que hemos de hacer con el niño una vez
nacido.

Dios escuchó la oración de Manoj, y el ángel de Dios volvió a
aparecerse a la mujer mientras estaba en el campo y su marido no
estaba con ella. La mujer corrió en seguida a avisar a su marido:

—Se me ha aparecido aquel hombre que me visitó el otro día.

Manoj siguió a su mujer, fue hacia el hombre y le preguntó:

—¿Eres tú el que habló con esta mujer?

El respondió:

—Sí.

Manoj insistió:

—Y una vez que se realice tu promesa, ¿qué vida debe llevar el niño y qué tiene que hacer?

El ángel del Señor respondió:

—Que se abstenga de todo lo que le prohibí a tu mujer: que no tome mosto, que no beba vino ni licores, ni coma cosa impura; que lleve la vida que dispuse.

Manoj dijo al ángel del Señor:

—No te marches, y te prepararemos un cabrito. (No había caído en la cuenta de que era el ángel del Señor).

Pero el ángel del Señor le dijo:

—Aunque me hagas quedar, no probaré tu comida. Si quieres ofrecer un sacrificio al Señor, hazlo.

Manoj le preguntó:

—¿Cómo te llamas, para que cuando se cumpla tu promesa te hagamos un obsequio?

El ángel del Señor contestó:

—¿Por qué preguntas mi nombre? Es Misterioso.

Manoj tomó el cabrito y la ofrenda y ofreció sobre la peña un sacrificio al Señor Misterioso. Al subir la llama del altar hacia el cielo, el ángel del Señor subió también en la llama, ante Manoj y su mujer, que cayeron rostro a tierra.

El ángel del Señor ya no se les apareció más. Manoj cayó en la cuenta de que aquel era el ángel del Señor, y comentó con su mujer:

—¡Vamos a morir, porque hemos visto a Dios!

Pero su mujer repuso:

—Si el Señor hubiera querido matarnos no habría aceptado nuestro sacrificio y nuestra ofrenda, no nos habría mostrado todo esto ni nos habría comunicado una cosa así.

La mujer de Manoj dio a luz un hijo y le puso de nombre Sansón. El niño creció y el Señor lo bendijo.

42. Sansón y Dalila

Sansón gobernó a Israel durante la dominación filistea veinte años. Más tarde se enamoró Sansón de una mujer de Valle Sorec, llamada Dalila. Los príncipes filisteos fueron a visitarla y le dijeron:

—Sedúcelo y averigua en qué está su gran fuerza y cómo nos apoderaríamos de él para sujetarlo y domarlo. Te daremos cada uno mil cien siclos de plata.

Dalila le dijo a Sansón:

—Anda, dime el secreto de tu gran fuerza y cómo se te podría sujetar y domar.

Sansón le respondió:

—Si me atan con siete cuerdas humedecidas, sin dejarlas secar, perderé la fuerza y seré como uno cualquiera.

Los príncipes filisteos le llevaron a Dalila siete cuerdas humedecidas, sin dejarlas secar, y lo ató con ellas. Se apostaron al acecho en la alcoba, y ella gritó:

—¡Sansón, los filisteos!

Él rompió las cuerdas como se rompe un cordón de estopa[76] chamuscada, y no se supo el secreto de su fuerza.

Dalila se le quejó:

—Vaya, me has engañado; me has dicho una mentira. Anda, dime cómo se te puede sujetar.

---

[76] *Estopa:* tela gruesa.

Él respondió:

—Si me atan bien con sogas nuevas, sin estrenar, perderé la fuerza y seré como uno cualquiera.

Dalila tomó sogas nuevas y lo ató con ellas. Y le gritó:

—¡Sansón, los filisteos!

Estaban apostados al acecho en la alcoba. Pero él rompió las sogas de sus brazos, como si fueran un hilo. Dalila se le quejó:

—Hasta ahora me has engañado, me has dicho una mentira. Anda, dime cómo se te puede sujetar.

Él respondió:

—Si trenzas las siete guedejas[77] de mi cabeza con la urdimbre[78] y las fijas con el batidor[79], perderé la fuerza y seré como uno cualquiera.

Dalila lo dejó dormirse y le trenzó las siete guedejas de la cabeza con la urdimbre y las fijó con el batidor, y le gritó:

—¡Sansón, los filisteos!

Él despertó y arrancó el batidor y la urdimbre.

Ella se le quejó:

—¡Y luego dices que me quieres, pero tu corazón no es mío! Es la tercera vez que me engañas y no me dices el secreto de tu fuerza.

Y como lo importunaba con sus quejas día tras día hasta marearlo, Sansón, ya desesperado, le dijo su secreto:

—Nunca ha pasado la navaja por mi cabeza, porque estoy consagrado a Dios desde antes de nacer. Si me corto el pelo perderé la fuerza, me quedaré débil y seré como uno cualquiera.

Dalila se dio cuenta de que le había dicho su secreto, y mandó llamar a los príncipes filisteos:

[77] *Guedeja:* mechón.
[78] *Urdimbre:* conjunto de hilos que se colocan en el telar paralelamente unos a otros para formar una tela.
[79] *Batidor:* peine de púas.

—Venid ahora, que me ha dicho su secreto.

Los príncipes fueron allá con el dinero. Dalila dejó que Sansón se durmiera en sus rodillas, y entonces llamó a un hombre, que cortó las siete guedejas de la cabeza de Sansón, y Sansón empezó a debilitarse, su fuerza desapareció. Dalila gritó:

—¡Sansón, los filisteos!

Él despertó y se dijo: «Saldré como otras veces y me los sacudiré de encima» (sin saber que el Señor lo había abandonado). Los filisteos lo agarraron, le vaciaron los ojos y lo bajaron a Gaza; lo ataron con cadenas y lo tenían moliendo grano en la cárcel. Pero el pelo de la cabeza le empezó a crecer después de cortado. Los príncipes filisteos se reunieron para tener un gran banquete en honor de su dios Dagón y hacer fiesta. Cantaban: «Nuestro dios nos ha entregado a Sansón, nuestro enemigo». Cuando ya estaban alegres, dijeron:

—Sacad a Sansón, que nos divierta.

Sacaron a Sansón de la cárcel, y bailaba en su presencia. Luego lo plantaron entre las columnas. La gente al verlo alabó a su dios: «Nuestro dios nos ha entregado a Sansón, nuestro enemigo, que asolaba nuestros campos y aumentaba nuestros muertos». Sansón rogó al lazarillo[80]:

—Déjame tocar las columnas que sostienen el edificio para apoyarme en ellas.

(La sala estaba repleta de hombres y mujeres; estaban allí todos los príncipes filisteos, y en la galería había unos tres mil trescientos hombres y mujeres, viendo bailar a Sansón). Él gritó al Señor:

—¡Señor, acuérdate de mí! Dame la fuerza al menos esta vez para poder vengar en los filisteos, de un solo golpe, la pérdida de los dos ojos.

---

[80] *Lazarillo:* muchacho que guía y dirige a un ciego.

Palpó las dos columnas centrales, apoyó las manos contra ellas, la derecha sobre una y la izquierda sobre la otra, y al grito de «¡a morir con los filisteos!», abrió los brazos con fuerza, y el edificio se derrumbó sobre los príncipes y sobre la gente que estaba allí. Los que mató Sansón al morir fueron más que los que mató en vida.

Luego bajaron sus parientes y toda su familia, recogieron el cadáver y lo llevaron a enterrar entre Sorá y Estaol, en la sepultura de su padre, Manoj. Sansón había gobernado Israel veinte años.

43. Rut

En tiempo de los jueces hubo hambre en el país, y un hombre emigró, con su mujer y sus dos hijos, desde Belén de Judá a la campiña de Moab. Se llamaba Elimélec; su mujer, Noemí, y sus hijos, Majlón y Kilión. Eran efrateos, de Belén de Judá. Llegados a la campiña de Moab, se establecieron allí.

Elimélec, el marido de Noemí, murió, y quedaron con ella sus dos hijos, que se casaron con dos mujeres moabitas: una se llamaba Orfá y la otra Rut. Pero al cabo de diez años de residir allí, murieron también los dos hijos, Majlón y Kilión, y la mujer se quedó sin marido y sin hijos.

Al enterarse de que el Señor había atendido a su pueblo dándole pan, Noemí con sus dos nueras emprendió el camino de vuelta desde la campiña de Moab. En compañía de sus dos nueras salió del lugar donde residía, y emprendieron el regreso al país de Judá. Noemí dijo a sus dos nueras:

—Andad, volveos cada una a vuestra casa. Que el Señor os trate con piedad, como vosotras lo habéis hecho con mis muertos y conmigo. El Señor os conceda vivir tranquilas en casa de un nuevo marido.

Las abrazó. Ellas, rompiendo a llorar, le replicaron:

—¡De ningún modo! Volveremos contigo a tu pueblo.

Noemí insistió:

—Volveos, hijas. ¿A qué vais a venir conmigo? ¿Creéis que podré tener más hijos para casaros con ellos? Andad, volveos, hijas, que soy demasiado vieja para casarme. Y aunque pensara que me queda esperanza, y me casara esta noche, y tuviera hijos, ¿vais a esperar a que crezcan, vais a renunciar, por ellos, a casaros? No, hijas. Mi suerte es más amarga que la vuestra, porque la mano del Señor se ha desatado contra mí.

De nuevo rompieron a llorar. Orfá se despidió de su suegra y volvió a su pueblo, mientras que Rut se quedó con Noemí. Noemí le dijo:

—Mira, tu cuñada se ha vuelto a su pueblo y a su dios. Vuélvete tú con ella.

Pero Rut contestó:

—No insistas en que te deje y me vuelva. A donde tú vayas, iré yo; donde tú vivas, viviré yo; tu pueblo es el mío, tu Dios es mi Dios; donde tú mueras, allí moriré y allí me enterrarán. Solo la muerte podrá separarnos, y si no, que el Señor me castigue.

Al ver que se empeñaba en ir con ella, Noemí no insistió más. Y siguieron caminando las dos hasta Belén. Cuando llegaron, se alborotó toda la población, y las mujeres decían:

—¡Si es Noemí!

Ella corregía:

—No me llaméis Noemí. Llamadme Mará, porque el Todopoderoso me ha llenado de amargura. Llena me marché, y el Señor me trae vacía. No me llaméis Noemí, que el Señor me afligió, el Todopoderoso me maltrató.

Así fue como Noemí, con su nuera Rut, la moabita, volvió de la campiña de Moab. Empezaba la siega de la cebada cuando llegaron a Belén. Noemí tenía, por parte de su marido, un pariente de muy buena posición llamado Boaz, de la familia de Elimélec. Rut, la moabita, dijo a Noemí:

—Déjame ir al campo, a espigar donde me admitan por caridad.

Noemí le respondió:

—Anda, hija.

Se marchó y fue a espigar en las tierras, siguiendo a los segadores. Fue a parar a una de las tierras de Boaz, de la familia de Elimélec, y en aquel momento llegaba él de Belén y saludó a los segadores:

—¡A la paz de Dios!

Respondieron:

—¡Dios te bendiga!

Luego preguntó al mayoral:

—¿De quién es esa chica?

El mayoral respondió:

—Es una chica moabita, la que vino con Noemí de la campiña de Moab. Me dijo que la dejase espigar detrás de los segadores hasta juntar unas gavillas; desde que llegó por la mañana ha estado en pie hasta ahora, sin parar un momento.

Entonces Boaz dijo a Rut:

—Escucha, hija. No vayas a espigar a otra parte, no te vayas de aquí ni te alejes de mis tierras. Fíjate en qué tierra siegan los hombres y sigue a las espigadoras. Dejo dicho a mis criados que no te molesten. Cuando tengas sed, vete donde los botijos y bebe de lo que saquen los criados.

Rut se echó, se postró ante él por tierra y le dijo:

—Yo soy una forastera, ¿por qué te he caído en gracia y te has interesado por mí?

Boaz respondió:

—Me han contado todo lo que hiciste por tu suegra después de que murió tu marido: que dejaste a tus padres y tu pueblo natal y has venido a vivir con gente desconocida. El Señor te pague esta buena acción. El Dios de Israel, bajo cuyas alas has venido a refugiarte, te lo pague con creces.

Ella dijo:

—Ojalá sepa yo agradarte, señor; me has tranquilizado y has llegado al corazón de tu servidora, aunque no soy ni una criada tuya.

Cuando llegó la hora de comer, Boaz le dijo:

—Acércate, coge pan y moja la rebanada en la salsa.

Ella se sentó junto a los segadores, y él le ofreció grano tostado. Rut comió hasta quedar satisfecha, y todavía le sobró. Después se levantó a espigar, y Boaz ordenó a los criados:

—Aunque espigue entre las gavillas, no la riñáis, y hasta podéis tirar algunas espigas del manojo y las dejáis; y no la reprendáis cuando las recoja.

Rut estuvo espigando en aquel campo hasta la tarde; después vareó lo que había espigado y sacó media fanega[81] de cebada. Se la cargó y marchó al pueblo. Enseñó a su suegra lo que había espigado, sacó lo que le había sobrado de la comida y se lo dio.

Su suegra le preguntó:

—¿Dónde has espigado hoy y con quién has trabajado? ¡Bendito el que se ha interesado por ti!

Rut le contó:

—El hombre con el que he trabajado hoy se llama Boaz.

Noemí dijo a su nuera:

—Que el Señor te bendiga; el Señor, que no deja de apiadarse de vivos y muertos. —Y añadió—: Ese hombre es pariente nuestro, uno de los que tienen que responder por nosotras.

Entonces siguió Rut, la moabita:

—También me dijo que no me apartase de sus criados hasta que no le acaben toda la siega.

Y Noemí le dijo:

—Hija, más vale que salgas con sus criadas, y así no te molestarán en otra parte.

---

[81] *Fanega:* medida de capacidad.

Así, pues, Rut siguió con las criadas de Boaz, espigando hasta acabar la siega de la cebada y del trigo. Vivía con su suegra. Un día su suegra le dijo:

—Hija, tengo que buscarte un hogar donde vivas feliz. Resulta que Boaz, con cuyas criadas has estado trabajando, es pariente nuestro. Esta noche va a aventar[82] la parva[83] de cebada. Tú lávate, perfúmate, ponte el manto y baja a la era[84]. Que no te vea mientras come y bebe. Y cuando se eche a dormir, fíjate dónde se acuesta; vas, le destapas los pies y te acuestas allí. Él te dirá lo que has de hacer.

Rut respondió:

—Haré todo lo que me dices.

Después bajó a la era e hizo exactamente lo que le había encargado su suegra. Boaz comió, bebió y le sentó bien. Luego fue a acostarse a una orilla del pez de cebada. Rut se acercó de puntillas, le destapó los pies y se acostó. A medianoche el hombre sintió un escalofrío, se incorporó y vio una mujer echada a sus pies. Preguntó:

—¿Quién eres?

Ella dijo:

—Soy Rut, tu servidora. Extiende tu manto sobre tu servidora, pues a ti te toca responder por mí.

Él dijo:

—El Señor te bendiga, hija. Esta segunda obra de caridad es mejor que la primera, porque no te has buscado un pretendiente

---

[82] *Aventar:* echar al aire los granos que se limpian en la era.

[83] *Parva:* mies tendida en la era para trillarla, o después de trillada, antes de separar el grano.

[84] *Era:* espacio de tierra limpia y firme, algunas veces empedrado, donde se trilla y se separa el grano.

joven, pobre o rico. Bien, hija, no tengas miedo, que haré por ti lo que me pidas; pues ya saben todos los del pueblo que eres una mujer de cualidades. Es verdad que a mí me toca responder por ti, pero hay otro pariente más cercano que yo. Esta noche quédate aquí, y mañana por la mañana, si él quiere cumplir su deber familiar, que lo haga enhorabuena; si él no quiere, lo haré yo, ¡vive Dios! Acuéstate hasta la mañana.

Ella durmió a sus pies hasta la mañana, y se levantó cuando la gente todavía no llega a reconocerse (pues Boaz no quería que supiesen que la mujer había ido a la era).

Boaz le dijo:

—Trae el manto y sujeta fuerte. —Le midió seis medidas de cebada, la ayudó a cargarlas y Rut volvió al pueblo.

Al llegar a casa de su suegra, esta le preguntó:

—¿Qué tal, hija?

Rut le contó lo que Boaz había hecho por ella, y añadió:

—También me regaló estas seis medidas de cebada, diciéndome: «No vas a volver a casa de tu suegra con las manos vacías».

Noemí le dijo:

—Estate tranquila, hija, hasta que sepas cómo se resuelve el asunto; que él no descansará hasta dejarlo arreglado hoy mismo.

Boaz, por su parte, fue a la plaza del pueblo y se sentó allí. En aquel momento pasaba por allí el pariente del que había hablado Boaz. Lo llamó:

—Oye, fulano, ven y siéntate aquí.

El otro llegó y se sentó. Boaz reunió a diez concejales y les dijo:

—Sentaos aquí.

Y se sentaron. Entonces Boaz dijo al otro:

—Mira, la tierra que era de nuestro pariente Elimélec la pone en venta Noemí, la que volvió de la campiña de Moab. He querido ponerte al tanto y decirte: «Cómprala ante los aquí presentes, los concejales, si es que quieres rescatarla, y si no, házmelo saber;

porque tú eres el primero con derecho a rescatarla y yo vengo después de ti».

El otro dijo:

—La compro.

Boaz prosiguió:

—Al comprarle esa tierra a Noemí adquieres también a Rut, la moabita, esposa del difunto, con el fin de conservar el apellido del difunto en su heredad.

Entonces el otro dijo:

—No puedo hacerlo, porque perjudicaría a mis herederos. Te cedo mi derecho; a mí no me es posible.

Antiguamente había esta costumbre en Israel, cuando se trataba de rescate o de permuta: para cerrar el trato se quitaba uno la sandalia y se la daba al otro. Así se hacían los tratos en Israel. Así que el otro dijo a Boaz:

—Cómpralo tú.

Se quitó la sandalia y se la dio. Y entonces Boaz dijo a los concejales y a la gente:

—Os tomo hoy por testigos de que adquiero todas las posesiones de Elimélec, Kilión y Majlón de manos de Noemí, y de que adquiero como esposa a Rut, la moabita, mujer de Majlón, con el fin de conservar el apellido del difunto en su heredad, para que no desaparezca el apellido del difunto entre sus parientes y paisanos. ¿Sois testigos?

Todos los allí presentes respondieron:

—Somos testigos.

Y los concejales añadieron:

—¡Que a la mujer que va a entrar en tu casa la haga el Señor como Raquel y Lía, las dos que construyeron la casa de Israel! ¡Que tengas riqueza en Efrata y renombre en Belén! ¡Que por los hijos que el Señor te dé de esta joven tu casa sea como la de Fares, el hijo que Tamar dio a Judá!

Así fue como Boaz se casó con Rut. Se unió a ella; el Señor hizo que Rut concibiera y diese a luz un hijo. Las mujeres dijeron a Noemí:

—Bendito sea Dios, que te ha dado hoy quien responda por ti. El nombre del difunto se pronunciará en Israel. Y el niño te será un descanso y una ayuda en tu vejez; pues te lo ha dado a luz tu nuera, la que tanto te quiere, que te vale más que siete hijos.

Noemí tomó al niño, lo puso en su regazo y se encargó de criarlo. Las vecinas le buscaban un nombre, diciendo:

—¡Noemí ha tenido un niño!

Y le pusieron por nombre Obed. Fue el padre de Jesé, padre de David.

44. Nacimiento e infancia de Samuel

Tras haber enviado Dios a varios héroes guerreros, el sacerdote Elí ejerció como juez de Israel durante cuarenta años. Elí vivía en Silo, pues allí estaba el santuario donde los israelitas se reunían todos los años para adorar a Dios con motivo de las fiestas principales.

Había un hombre sufita, oriundo de Rama, en la serranía de Efraín, llamado Elcaná, hijo de Yeroján, hijo de Elihú, hijo de Toju, hijo de Suf, efraimita. Tenía dos mujeres: una se llamaba Ana y la otra Feniná. Feniná tenía hijos y Ana no los tenía. Aquel hombre solía subir todos los años desde su pueblo para adorar y ofrecer sacrificios al Señor de los ejércitos en Silo, donde estaban de sacerdotes del Señor los dos hijos de Elí: Jofní y Fineés. Llegado el día de ofrecer el sacrificio, repartía raciones a su mujer Feniná para sus hijos e hijas, mientras que a Ana le daba sólo una ración, y eso que la quería, pero el Señor la había hecho estéril.

Su rival la insultaba ensañándose con ella para mortificarla, porque el Señor la había hecho estéril. Así hacía año tras año; siempre que subían al templo del Señor, solía insultarla así. Una vez Ana lloraba y no comía. Y Elcaná, su marido, le dijo:

—Ana, ¿por qué lloras y no comes? ¿Por qué te afliges? ¿No te valgo yo más que diez hijos?

Entonces, después de la comida en Silo, mientras el sacerdote Elí estaba sentado en su silla, junto a la puerta del templo del Señor, Ana se levantó, y con el alma llena de amargura se puso a rezar al Señor, llorando a todo llorar. Y añadió esta promesa:

—Señor de los ejércitos, si te fijas en la humillación de tu sierva y te acuerdas de mí, si no te olvidas de tu sierva y le das a tu sierva un hijo varón, se lo entrego al Señor de por vida y no pasará la navaja por su cabeza.

Mientras ella rezaba y rezaba al Señor, Elí observaba sus labios. Y como Ana hablaba para sí, y no se oía su voz aunque movía los labios, Elí la creyó borracha y le dijo:

—¿Hasta cuándo te va durar la borrachera? A ver si se te pasa el efecto del vino.

Ana respondió:

—No es así, señor. Soy una mujer que sufre. No he bebido vino ni licor, estaba desahogándome ante el Señor. No creas que esta sierva tuya es una descarada; si he estado hablando hasta ahora, ha sido de pura congoja y aflicción.

Entonces Elí le dijo:

—Vete en paz. Que el Dios de Israel te conceda lo que le has pedido.

Ana respondió:

—Que puedas favorecer siempre a esta sierva tuya.

Luego se fue por su camino, comió y no parecía la de antes. A la mañana siguiente madrugaron, adoraron al Señor y se volvieron. Llegados a su casa de Ramá, Elcaná se unió a su mujer Ana, y el

Señor se acordó de ella. Ana concibió, dio a luz un hijo y le puso de nombre Samuel, diciendo:

—¡Al Señor se lo pedí!

Pasado un año, su marido, Elcaná, subió con toda la familia para hacer el sacrificio anual al Señor y cumplir la promesa. Ana se excusó para no subir, diciendo a su marido:

—Cuando destete al niño, entonces lo llevaré para presentárselo al Señor y que se quede allí para siempre.

Su marido, Elcaná, le respondió:

—Haz lo que te parezca mejor; quédate hasta que lo destetes. Y que el Señor te conceda cumplir tu promesa.

Ana se quedó en casa y crió a su hijo hasta que lo destetó. Entonces subió con él al templo del Señor de Silo, llevando un novillo de tres años, una fanega[85] de harina y un odre de vino. Cuando mataron el novillo, Ana presentó el niño a Elí, diciendo:

—Señor, por tu vida, yo soy la mujer que estuvo aquí, junto a ti, rezando al Señor. Este niño es lo que yo pedía; el Señor me ha concedido mi petición. Por eso yo se lo cedo al Señor de por vida, para que sea suyo.

Después se postraron ante el Señor. Ana volvió a su casa de Rama, y el niño estaba al servicio del Señor, a las órdenes del sacerdote Elí.

En cambio, los hijos de Elí eran unos desalmados: no respetaban al Señor ni las obligaciones de los sacerdotes con la gente. Cuando una persona ofrecía un sacrificio, mientras se guisaba la carne, venía el ayudante del sacerdote empuñando un tenedor, lo clavaba dentro de la olla o caldero o puchero o cazuela, y todo lo que enganchaba el tenedor se lo llevaba al sacerdote. Así hacían con todos los israelitas que acudían a Silo. Incluso antes de quemar la grasa, iba el ayudante del sacerdote y decía al que iba a

---

[85] *Fanega:* medida de capacidad.

ofrecer el sacrificio: «Dame la carne para el asado del sacerdote. Tiene que ser cruda, no te aceptaré carne cocida». Y si el otro respondía: «Primero hay que quemar la grasa, luego puedes llevarte lo que se te antoje», le replicaba: «No. O me la das ahora o me la llevo por las malas». Aquel pecado de los ayudantes era grave a juicio del Señor, porque desacreditaban las ofrendas al Señor.

Por su parte, Samuel seguía al servicio del Señor y llevaba puesto un roquete[86] de lino. Su madre solía hacerle una sotana, y cada año se la llevaba cuando subía con su marido a ofrecer el sacrificio anual. Y Elí echaba la bendición a Elcaná y a su mujer: «El Señor te dé un descendiente de esta mujer, en compensación por el préstamo que ella hizo al Señor». Luego se volvían a casa.

El Señor se cuidó de Ana, que concibió y dio a luz tres niños y dos niñas. El niño Samuel crecía en el templo del Señor. Elí era muy viejo. A veces oía cómo trataban sus hijos a todos los israelitas y que se acostaban con las mujeres que servían a la entrada de la tienda del encuentro. Y les decía:

—¿Por qué hacéis eso? La gente me cuenta lo mal que os portáis. No, hijos, no está bien lo que me cuentan; estáis escandalizando al pueblo del Señor. Si un hombre ofende a otro, Dios puede hacer de árbitro; pero si un hombre ofende al Señor, ¿quién intercederá por él?

Pero ellos no hacían caso a su padre, porque el Señor había decidido que murieran. En cambio, el niño Samuel iba creciendo, y lo apreciaban el Señor y los hombres.

Por aquella época se reunieron los filisteos para atacar a Israel. Los israelitas perdieron la primera batalla, y entonces algunos fueron a Silo a buscar el arca de la Alianza, para invocar la protección de Dios. Jofní

---

[86] *Roquete:* vestidura blanca de tela fina, con mangas muy anchas, propia de los sacerdotes.

y Fineés, los dos hijos de Elí, llevaron el arca hasta el campamento y todos los israelitas rogaron a Dios a su alrededor. Sin embargo, los filisteos volvieron a derrotar a los israelitas, en una amarga batalla, robaron el arca de la Alianza y asesinaron a los dos hijos de Elí. El sacerdote Elí, que estaba en Silo esperando noticias, murió al enterarse de la desgracia ocurrida. Samuel se convirtió entonces en juez de Israel.

45. El arca en territorio filisteo

La mano del Señor descargó sobre los asdodeos, aterrorizándolos, e hirió con diviesos[87] a la gente de Asdod y su término. Al ver lo que sucedía, los asdodeos dijeron:

—No debe quedarse entre nosotros el arca del Dios de Israel, porque su mano es dura con nosotros y con nuestro dios Dagón.

Entonces mandaron convocar en Asdod a los príncipes filisteos y les consultaron:

—¿Qué hacemos con el arca del Dios de Israel?

Respondieron:

—Que se traslade a Gat.

Llevaron a Gat el arca del Dios de Israel; pero nada más llegar, descargó el Señor la mano sobre el pueblo, causando un pánico terrible, porque hirió con diviesos a toda la población, a chicos y grandes. Entonces trasladaron el arca de Dios a Ecrón; pero cuando llegó allí, protestaron los ecronitas:

—¡Nos han traído el arca de Dios para que nos mate a nosotros y a nuestras familias!

---

[87] *Divieso:* tumor inflamatorio, pequeño, puntiagudo y doloroso, que se forma en el espesor de la dermis y termina por supuración seguida del desprendimiento del llamado clavo.

Entonces mandaron convocar a los príncipes filisteos, y les dijeron:

—Devolved a su sitio el arca del Dios de Israel; si no, nos va a matar a nosotros con nuestras familias. Todo el pueblo tenía un pánico mortal, porque la mano de Dios había descargado allí con toda su fuerza. A los que no morían, les salían diviesos. Y el clamor del pueblo subía hasta el cielo.

El arca estuvo siete meses en territorio filisteos, hasta que la población, asustada por la ira de Dios, decidió devolvérsela a los israelitas.

46. EL PUEBLO PIDE UN REY

Samuel fue un gobernante justo, que supo conducir a su pueblo con arreglo a la ley de Moisés y alejarlo de la idolatría. Gracias a ello, Dios volvió a apoyar a los israelitas en su guerra contra los filisteos, y recuperaron todas las ciudades que habían perdido. Samuel marcó la frontera con una piedra, a la que denominó Eben Ezer, «piedra de la ayuda», diciendo: «Hasta aquí nos ayudó el Señor».

Cuando Samuel llegó a viejo, nombró a sus hijos jueces de Israel. El hijo mayor se llamaba Joel y el segundo Abías; ejercían el cargo en Berseba. Pero no se comportaban como su padre; atentos sólo al provecho propio, aceptaban sobornos y juzgaban contra justicia. Entonces los concejales de Israel se reunieron y fueron a entrevistarse con Samuel en Rama. Le dijeron:

—Mira, tú eres ya viejo y tus hijos no se comportan como tú. Nómbranos un rey que nos gobierne, como se hace en todas las naciones.

A Samuel le disgustó que le pidieran ser gobernados por un rey, y se puso a orar al Señor. El Señor le respondió:

—Haz caso al pueblo en todo lo que te pidan. No te rechazan a ti, sino a mí; no me quieren por rey. Como me trataron desde el día que los saqué de Egipto, abandonándome para servir a otros dioses, así te tratan a ti. Hazles caso; pero adviérteles bien claro, explícales los derechos del rey.

Samuel comunicó la palabra del Señor a la gente que le pedía un rey:

—Estos son los derechos del rey que os regirá: a vuestros hijos los llevará para enrolarlos en destacamentos de carros y caballería y para que vayan delante de su carroza; los empleará como jefes y oficiales en su ejército, como aradores de sus campos y segadores de su cosecha, como fabricantes de armamentos y de pertrechos[88] para sus carros. A vuestras hijas se las llevará como perfumistas, cocineras y reposteras. Vuestros campos, viñas y los mejores olivares os los quitará para dárselos a sus ministros. De vuestro grano y vuestras viñas os exigirá diezmos, para dárselos a sus funcionarios y ministros. A vuestros criados y criadas, vuestros mejores burros y bueyes se los llevará para usarlos en su hacienda. De vuestros rebaños os exigirá diezmos. ¡Y vosotros mismos seréis sus esclavos! Entonces gritaréis contra el rey que os elegisteis, pero Dios no os responderá.

El pueblo no quiso hacer caso a Samuel, e insistió:

—No importa. ¡Queremos un rey! Así seremos nosotros como los demás pueblos. Que nuestro rey nos gobierne y salga al frente de nosotros a luchar en la guerra.

Samuel oyó lo que pedía el pueblo y se lo comunicó al Señor. El Señor le respondió:

—Hazles caso y nómbrales un rey.

---

[88] *Pertrechos:* municiones, armas y demás instrumentos necesarios para el uso de los soldados.

Entonces Samuel dijo a los israelitas:

—¡Cada uno a su pueblo!

47. SAMUEL Y SAÚL

Había un hombre de Guibeá de Benjamín llamado Quis, hijo de Abiel, de Seror, de Becorá, de Afij, benjaminita, de buena posición. Tenía un hijo que se llamaba Saúl, un mozo bien plantado; era el israelita más alto: sobresalía por encima de todos, de los hombros arriba. A su padre, Quis, se le habían extraviado unas burras, y dijo a su hijo Saúl:

—Llévate a uno de los criados y vete a buscar las burras.

Cruzaron la serranía de Efraín y atravesaron la comarca de Salisá, pero no las encontraron. Atravesaron la comarca de Saalín, y nada. Atravesaron la comarca de Benjamín, y tampoco. Cuando llegaron a la comarca de Sur, Saúl dijo al criado que iba con él:

—Vamos a volvernos, no sea que mi padre prescinda de las burras y empiece a preocuparse por nosotros.

Pero el criado repuso:

—Precisamente en ese pueblo hay un hombre de Dios de gran fama; lo que él dice sucede sin falta. Vamos allá. A lo mejor nos orienta sobre lo que andamos buscando.

Saúl replicó:

—Y si vamos, ¿qué le llevamos a ese hombre? Porque no nos queda pan en las alforjas y no tenemos nada que llevarle a ese profeta. ¿Qué nos queda?

El criado respondió:

—Tengo aquí dos gramos y medio de plata; se los daré al profeta y nos orientará.

Saúl comentó:

—Muy bien. ¡Hala, vamos!

Y caminaron hacia el pueblo en donde estaba el profeta. Según subían por la cuesta del pueblo, encontraron a unas muchachas que salían a por agua; les preguntaron:

—¿Vive aquí el vidente?

(En Israel, antiguamente, el que iba a consultar a Dios, decía así: «¡Vamos al vidente!», porque antes se llamaba vidente al que hoy llamamos profeta). Ellas contestaron:

—Sí; se te ha adelantado. Precisamente hoy ha llegado al pueblo, porque el pueblo celebra hoy un sacrificio en el altozano[89]. Si entráis en el pueblo, lo encontraréis antes de que suba al altozano para el banquete; porque no se pondrán a comer hasta que él llegue, pues a él le corresponde bendecir el sacrificio, y luego comen los convidados. Subid ahora, que ahora precisamente lo encontraréis.

Subieron al pueblo. Y justamente cuando entraban en el pueblo, se encontró con ellos Samuel según salía para subir al altozano. El día antes de llegar Saúl, el Señor había revelado a Samuel:

—Mañana te enviaré un hombre de la región de Benjamín, para que lo unjas[90] como jefe de mi pueblo, Israel, y libre a mi pueblo de la dominación filistea; porque he visto la aflicción de mi pueblo, sus gritos han llegado hasta mí.

Cuando Samuel vio a Saúl, el Señor le avisó:

—Ese es el hombre de quien te hablé; ese regirá a mi pueblo.

Saúl se acercó a Samuel en medio de la entrada y le dijo:

—Haz el favor de decirme dónde está la casa del vidente.

Samuel le respondió:

---

[89] *Altozano:* cerro o monte de poca altura en terreno llano.

[90] *Ungir:* aplicar aceite sobre algo o alguien. Forma parte de un ritual para la distinción de los reyes en Israel. De hecho, la palabra Mesías significa en hebreo «el ungido».

—Yo soy el vidente. Sube delante de mí al altozano; hoy coméis conmigo y mañana te dejaré marchar y te diré todo lo que piensas. Por las burras que se te perdieron hace tres días no te preocupes, que ya aparecieron. Además, ¿por quién suspira todo Israel? Por ti y por la familia de tu padre.

Saúl respondió:

—¡Si yo soy de Benjamín, la menor de las tribus de Israel! Y de todas las familias de Benjamín, mi familia es la menos importante. ¿Por qué me dices eso?

Entonces Samuel tomó a Saúl y a su criado, los metió en el comedor y los puso en la presidencia de los convidados, unas treinta personas. Luego dijo al cocinero:

—Trae la ración que te encargué, la que te dije que apartases.

El cocinero sacó el pernil[91] y la cola, y se lo sirvió a Saúl. Samuel dijo:

—Ahí tienes lo que te reservaron; come, que te lo han guardado para esta ocasión, para que lo comas con los convidados.

Así pues, Saúl comió aquel día con Samuel. Después bajaron del altozano hasta el pueblo, prepararon la cama a Saúl en la azotea y se acostó. Al despuntar el sol, Samuel fue a la azotea a llamarlo:

—Levántate, que te despida.

Saúl se levantó, y los dos, él y Samuel, salieron de casa. Cuando habían bajado hasta las afueras, Samuel le dijo:

—Dile al criado que vaya delante; tú párate un momento y te comunicaré la palabra de Dios.

Tomó la aceitera, derramó aceite sobre la cabeza de Saúl y lo besó, diciendo:

—¡El Señor te unge como jefe de su heredad! Hoy mismo, cuando te separes de mí, te tropezarás con dos hombres junto a la

---

[91] *Pernil:* muslo del animal.

tumba de Raquel, en la linde[92] de Benjamín, que te dirán: «Aparecieron las burras que saliste a buscar; mira, tu padre ha olvidado el asunto de las burras y está preocupado por vosotros, pensando qué va a ser de su hijo». Sigue adelante y vete hasta la Encina del Tabor; allí te tropezarás con tres hombres que suben a visitar a Dios en Betel: uno con tres cabritos, otro con tres hogazas de pan y otro con un pellejo[93] de vino; después de darte los buenos días, te entregarán dos panes, y tú los aceptarás. Vete luego a Guibeá de Dios, donde está la guarnición filistea; al llegar al pueblo te toparás con un grupo de profetas que baja del cerro en danza frenética, detrás de una banda de arpas y cítaras, panderos y flautas. Te invadirá el espíritu del Señor, te convertirás en otro hombre y te mezclarás en su danza. Cuando te sucedan estas señales, hala, haz lo que se te ofrezca, que Dios está contigo. Baja por delante a Guilgal; yo iré después a ofrecer holocaustos y sacrificios de comunión. Espera siete días, hasta que yo llegue y te diga lo que tienes que hacer.

Cuando Saúl dio la vuelta y se apartó de Samuel, Dios le cambió el corazón, y todas aquellas señales le sucedieron aquel mismo día. De allí fueron a Guibeá, y de pronto dieron con un grupo de profetas. El espíritu de Dios invadió a Saúl y se puso a danzar entre ellos. Los que lo conocían de antes y lo veían danzando con los profetas, comentaban:

—¿Qué le pasa al hijo de Quis? ¡Hasta Saúl anda con los profetas!

Uno del pueblo replicó:

—¡Pues a ver quién es el padre de esos! (Así se hizo proverbial la frase: «¡Hasta Saúl anda con los profetas!»).

---

[92] *Linde:* límite de un reino o de una provincia.
[93] *Pellejo:* odre, saco de piel para contener líquidos.

Cuando se le pasó el frenesí. Saúl fue a su casa. Su tío les preguntó:

—¿Dónde anduvisteis?

Saúl respondió:

—Buscando las burras. Como vimos que no aparecían, fuimos a ver a Samuel.

Su tío le dijo:

—Anda, cuéntame qué os dijo Samuel.

Respondió:

—Nos anunció que habían aparecido las burras.

Pero lo que le había dicho Samuel del asunto del reino no se lo dijo.

48. Saúl, rey de Israel

Samuel convocó al pueblo ante el Señor, en Mispá, y dijo a los israelitas:

—Así dice el Señor, Dios de Israel: «Yo saqué a Israel de Egipto, os libré de los egipcios y de todos los reyes que os oprimían. Pero vosotros habéis rechazado hoy a vuestro Dios, el que os salvó de todas las desgracias y peligros, y habéis dicho: "No importa, danos un rey". Pues bien, presentaos ante el Señor por tribus y por familias».

Samuel hizo acercarse a las tribus de Israel, y le tocó la suerte a la tribu de Benjamín. Hizo acercarse a la tribu de Benjamín, por clanes, y le tocó la suerte al clan de Matrí; luego hizo acercarse al clan de Matrí, por individuos, y le tocó la suerte a Saúl, hijo de Quis; lo buscaron y no lo encontraron. Consultaron de nuevo al Señor:

—¿Ha venido aquí Saúl?

El Señor respondió:

—Está escondido entre el bagaje[94].

---

[94] *Bagaje:* equipaje.

Fueron corriendo a sacarlo de allí, y se presentó en medio de la gente: sobresalía por encima de todos, de los hombros arriba. Entonces Samuel dijo a todo el pueblo:

—¡Mirad a quién ha elegido el Señor! ¡No hay como él en todo el pueblo!

Todos aclamaron:

—¡Viva el rey!

Samuel explicó al pueblo los derechos del rey, y los escribió en un libro, que colocó ante el Señor. Luego despidió a la gente, cada cual a su casa. También Saúl marchó a su casa, a Guibeá. Con él fueron los mejores, a quienes Dios tocó el corazón. En cambio, los malvados comentaron:

—¡Qué va a salvarnos ese!

Lo despreciaron y no le ofrecieron regalos. Saúl callaba.

Los amonitas atacaron a Israel. Saúl los venció, y entonces el pueblo se levantó contra quienes lo habían despreciado como rey. Sin embargo, Saúl decidió perdonarles, diciendo: «Hoy no ha de morir nadie, porque hoy el Señor ha salvado a Israel». Y todos los israelitas se reunieron en Gálgala, alabaron a Saúl y festejaron su victoria. Saúl continuó con éxito su reinado, en compañía de su hijo Jonatán.

49. DESPEDIDA DE SAMUEL

Samuel dijo a los israelitas:

—Ya veis que os he hecho caso en todo lo que me pedisteis, y os he dado un rey. Pues bien, ¡aquí tenéis al rey! Yo estoy ya viejo y canoso, mientras a mis hijos los tenéis entre vosotros. Yo he actuado a la vista de todos desde mi juventud hasta ahora. Aquí me tenéis, respondedme ante el Señor y su ungido: ¿A quién le quité un buey? ¿A quién le quité un burro? ¿A quién he hecho injusticia? ¿A quién he vejado? ¿De quién he aceptado un soborno para hacer la vista gorda? Decidlo y os lo devolveré.

Respondieron:

—No nos has hecho injusticia, ni nos has vejado, ni has aceptado soborno de nadie.

Samuel añadió:

—Yo tomo hoy por testigo frente a vosotros al Señor y a su ungido: no me habéis sorprendido con nada en la mano.

Respondieron:

—Sean testigos.

50. SAÚL CAE EN DESGRACIA

Los filisteos volvieron a hacer la guerra a Israel, y Saúl se preparó para resistir con su pueblo.

Seleccionó a tres mil hombres de Israel: dos mil estaban con él en Micmás y la montaña de Betel, y mil estaban con Jonatán en Guibeá de Benjamín. Al resto del ejército lo licenció. Jonatán derrotó a la guarnición filistea que había en Guibeá. Los filisteos supieron que los hebreos se habían sublevado. Saúl tocó a rebato[95] por todo el país. Entonces los israelitas supieron que Saúl había derrotado a una guarnición enemiga y que se habían roto las hostilidades con los filisteos, y se reunieron con Saúl en Guilgal.

Los filisteos se concentraron para la guerra con seis mil jinetes e infantería numerosa como la arena de la playa, y fueron a acampar junto a Micmás, al este de Betavén. Al verse en peligro ante el avance filisteo, los israelitas fueron a esconderse en las cuevas, los

---

[95] *Tocar a rebato:* dar la señal de alarma ante un peligro.

agujeros, las peñas, los refugios y los aljibes. Muchos pasaron el Jordán hacia Gad y Galaad. Saúl seguía en Guilgal, mientras la gente, atemorizada, se le marchaba. Aguardó siete días, hasta el plazo señalado por Samuel; pero Samuel no llegó a Guilgal, y la gente se le dispersaba. Entonces Saúl ordenó:

—Traedme las víctimas del holocausto y de los sacrificios de comunión.

Y ofreció el holocausto. Apenas había terminado, cuando se presentó Samuel. Saúl salió a su encuentro y lo saludó. Pero Samuel le dijo:

—¿Qué has hecho?

Contestó:

—Vi que la gente se me dispersaba y tú no venías en el plazo señalado, y los filisteos se concentraban frente a Micmás, y me dije: Ahora bajarán los filisteos contra mí a Guilgal, sin que yo haya aplacado al Señor, y me atreví a ofrecer el holocausto.

Samuel le dijo:

—¡Estás loco! Si hubieras cumplido la orden del Señor, tu Dios, él consolidaría tu reino sobre Israel para siempre. En cambio, ahora tu reino no durará. El Señor se ha buscado un hombre a su gusto y lo ha nombrado jefe de su pueblo, porque tú no has sabido cumplir la orden del Señor.

Samuel se volvió de Guilgal por su camino. El resto del ejército subió tras Saúl al encuentro del enemigo y llegaron desde Guilgal a Guibeá de Benjamín. Saúl revistó las tropas que seguían con él: unos seiscientos hombres.

Saúl y Jonatán continuaron sus luchas contra los pueblos enemigos de Israel, cosechando importantes victorias. Sin embargo, Saúl mostró en ciertas ocasiones ser un rey algo insensato, y no atender lo suficiente a las palabras de Samuel y de Dios.

Samuel dijo a Saúl:

—El Señor me envió para ungirte rey de su pueblo Israel. Por tanto, escucha las palabras del Señor. Así dice el Señor de los ejércitos: «Voy a tomar cuentas a Amalee de lo que hizo contra Israel, atacándolo cuando subía de Egipto. Ahora ve y atácalo; entrega al exterminio todos sus haberes, y a él no lo perdones; mata a hombres y mujeres, niños de pecho y chiquillos, toros, ovejas, camellos y burros».

Saúl convocó al ejército y le pasó revista en Telan: doscientos mil de infantería y diez mil de caballería. Marchó a las ciudades amalecitas y puso emboscadas en la vaguada[96]. A los quenitas les envió este mensaje:

—Vosotros salid del territorio amalecita y bajad. Os portasteis muy bien con los israelitas cuando subían de Egipto y yo no quiero mezclaros con Amalee.

Los quenitas se apartaron de los amalecitas. Saúl derrotó a los amalecitas, desde Telan, según se va a Sur, en la frontera de Egipto. Capturó vivo a Agag, rey de Amalee, pero a su ejército lo pasó a cuchillo. Saúl y su ejército perdonaron la vida a Agag, a las mejores ovejas y vacas, al ganado bien cebado, a los corderos y a todo lo que valía la pena, sin querer exterminarlo; en cambio, exterminaron lo que no valía nada. El Señor dirigió la palabra a Samuel:

—Me pesa haber hecho rey a Saúl, porque ha apostatado de mí y no cumple mis órdenes.

Samuel se entristeció y se pasó la noche gritando al Señor. Por la mañana madrugó y fue a encontrar a Saúl; pero le dijeron que se había ido a Carmel, donde había erigido una estela, y después,

---

[96] *Vaguada:* línea que marca la parte más honda de un valle, y es el camino por donde van las aguas de las corrientes naturales.

dando un rodeo, había bajado a Guilgal. Samuel se presentó a Saúl, y este le dijo:

—El Señor te bendiga. He cumplido el encargo del Señor.

Samuel le preguntó:

—¿Y qué son esos balidos que oigo y esos mugidos que siento?

Saúl contestó:

—Los han traído de Amalee. La tropa ha dejado con vida a las mejores ovejas y vacas, para ofrecérselas en sacrificio al Señor. El resto lo hemos exterminado.

Samuel replicó:

—Pues déjame que te cuente lo que el Señor me ha dicho esta noche.

Contestó Saúl:

—Dímelo:

Samuel dijo:

—Aunque te creas pequeño, eres la cabeza de las tribus de Israel, porque el Señor te ha nombrado rey de Israel. El Señor te envió a esta campaña con orden de exterminar a esos pecadores amalecitas, combatiendo hasta acabar con ellos. ¿Por qué no has obedecido al Señor? ¿Por qué has echado mano a los despojos, haciendo lo que el Señor reprueba?

Saúl replicó:

—Pero ¡si he obedecido al Señor! He hecho la campaña a la que me envió, he traído a Agag, rey de Amalee, y he exterminado a los amalecitas. Si la tropa tomó del botín ovejas y vacas, lo mejor de lo destinado al exterminio, lo hizo para ofrecérselas en sacrificio al Señor, tu Dios, en Guilgal.

Samuel contestó:

—¿Quiere el Señor sacrificios y holocaustos o quiere que obedezcan al Señor? Obedecer vale más que un sacrificio; ser dócil, más que grasa de carneros. Pecado de adivinos es la rebeldía, crimen de idolatría es la obstinación. Por haber rechazado al Señor, el Señor te rechaza hoy como rey.

Entonces Saúl dijo a Samuel:

—He pecado, he quebrantado el mandato de Dios y tu palabra; tuve miedo a la tropa y les hice caso. Pero ahora perdona mi pecado, te lo ruego; vuelve conmigo y adoraré al Señor.

Samuel le contestó:

—No volveré contigo. Por haber rechazado la palabra del Señor, el Señor te rechaza como rey de Israel.

Samuel dio media vuelta para marcharse. Saúl le agarró la orla[97] del manto, que se rasgó, y Samuel le dijo:

—El Señor te arranca hoy el reino y se lo entrega a otro más digno que tú. El Campeón de Israel no miente ni se arrepiente, porque no es un hombre para arrepentirse.

Saúl le dijo:

—Cierto, he pecado; pero esta vez salva mi honor ante los concejales del pueblo y ante Israel. Vuelve conmigo para que haga la adoración al Señor, tu Dios.

Samuel volvió con Saúl y este hizo la adoración al Señor. Entonces Samuel ordenó:

—Acercadme a Agag, rey de Amalee.

Agag se acercó temblando, y dijo:

—Ahora pasa la amargura de la muerte.

Samuel le dijo:

—Tu espada dejó a muchas madres sin hijos; entre todas quedará sin hijos tu madre.

Y lo descuartizó en Guilgal, en presencia del Señor. Luego se volvió a Rama, y Saúl volvió a su casa de Guibeá de Saúl. Samuel no volvió a ver a Saúl mientras vivió. Pero hizo duelo por él, por-

---

[97] *Orla:* orilla de vestidos, con algún adorno que la distingue.

que el Señor se había arrepentido de haber hecho a Saúl rey de Israel.

51. UNCIÓN SECRETA DE DAVID

El Señor dijo a Samuel:

—¿Hasta cuándo vas a estar lamentándote por Saúl, si yo lo he rechazado como rey de Israel? Llena la cuerna de aceite y vete, por encargo mío, a Jesé, el de Belén, porque entre sus hijos me he elegido un rey.

Samuel contestó:

—¿Cómo voy a ir? Si se entera Saúl, me mata.

El Señor le dijo:

—Llevas una novilla y dices que vas a hacer un sacrificio al Señor. Convidas a Jesé al sacrificio, y yo te indicaré lo que tienes que hacer; me ungirás al que yo te diga.

Samuel hizo lo que le mandó el Señor. Cuando llegó a Belén, los ancianos del pueblo fueron ansiosos a su encuentro:

—¿Vienes en son de paz?

Respondió:

—Sí, vengo a hacer un sacrificio al Señor. Purificaos y venid conmigo al sacrificio.

Purificó a Jesé y a sus hijos y los convidó al sacrificio. Cuando llegó, vio a Eliab y pensó: «Seguro, el Señor tiene delante a su ungido». Pero el Señor le dijo:

—No te fijes en las apariencias ni en su buena estatura. Lo rechazo. Porque Dios no ve como los hombres, que ven la apariencia. El Señor ve el corazón.

Jesé llamó a Abinadab y lo hizo pasar ante Samuel, y Samuel le dijo:

—Tampoco a este lo ha elegido el Señor.

Jesé hizo pasar a Sama, y Samuel dijo:

—Tampoco a este lo ha elegido el Señor.

Jesé hizo pasar a siete hijos suyos ante Samuel, y Samuel le dijo:

—Tampoco a estos los ha elegido el Señor.

Luego preguntó a Jesé:

—¿Se acabaron los muchachos?

Jesé respondió:

—Queda el pequeño, que precisamente está cuidando las ovejas.

Samuel dijo:

—Manda a por él, que no nos sentaremos a la mesa mientras no llegue.

Jesé mandó a por él y lo hizo entrar: era de buen color, de hermosos ojos y buen tipo. Entonces el Señor dijo a Samuel:

—Anda, úngelo, porque es este.

Samuel tomó la cuerna de aceite y lo ungió en medio de sus hermanos. En aquel momento invadió a David el espíritu del Señor, y estuvo con él en adelante. Samuel emprendió la vuelta a Rama.

52. David, músico en la corte de Saúl

El espíritu del Señor se había apartado de Saúl, y lo agitaba un mal espíritu enviado por el Señor. Sus cortesanos le dijeron:

—Ahora te agita un mal espíritu. Da una orden, y nosotros, tus siervos, buscaremos a uno que sepa tocar la cítara; cuando te sobrevenga el ataque del mal espíritu, él tocará, y se te pasará.

Saúl ordenó:

—Buscadme un buen músico y traédmelo.

Entonces uno de los cortesanos dijo:

—Yo conozco a un hijo de Jesé, el de Belén, que sabe tocar y es un muchacho muy valioso, buen guerrero, habla muy bien, es de buena presencia y el Señor está con él.

Saúl mandó emisarios a Jesé con esta orden:

—Envíame a tu hijo David, el que está con el rebaño.

Jesé tomó cinco panes, un pellejo de vino y un cabrito, y se los mandó a Saúl por medio de David. David llegó a palacio y se presentó a Saúl; al rey le causó muy buena impresión, y lo hizo su escudero. Saúl mandó este recado a Jesé:

—Que se quede David a mi servicio, porque me gusta.

Cuando el mal espíritu atacaba a Saúl, David tomaba el arpa y tocaba. Saúl se sentía aliviado y se le pasaba el ataque del mal espíritu.

53. DAVID Y GOLIAT

Los filisteos reunieron su ejército para la guerra; se concentraron en Soco de Judá y acamparon entre Soco y Azeca, en Fesdamín. Saúl y los israelitas se reunieron y acamparon en el valle de Ela, y formaron para la batalla contra los filisteos.

Los filisteos tenían sus posiciones en un monte y los israelitas en el otro, con el valle en medio. Del ejército filisteo se adelantó un campeón, llamado Goliat, oriundo de Gat, de casi tres metros de alto. Llevaba un casco de bronce en la cabeza, una cota de malla de bronce que pesaba medio quintal, grebas de bronce en las piernas y una jabalina de bronce a la espalda; el asta de su lanza era como la percha de un tejedor y su hierro pesaba seis kilos. Su escudero caminaba delante de él. Goliat se detuvo y gritó a las filas de Israel:

—¡No hace falta que salgáis formados a luchar! Yo soy el filisteo, vosotros los esclavos de Saúl. Elegid uno que baje hasta mí; si es capaz de pelear conmigo y me vence, seremos esclavos vuestros; pero si yo le puedo y lo venzo, seréis esclavos nuestros y nos serviréis. —Y siguió—: ¡Yo desafío hoy al ejército de Israel! ¡Echadme uno, y lucharemos mano a mano!

Saúl y los israelitas oyeron el desafío de aquel filisteo y se llenaron de miedo. David era hijo de un efrateo de Belén de Judá, llamado Jesé, que tenía ocho hijos, y cuando reinaba Saúl era ya viejo, de edad avanzada; sus tres hijos mayores habían ido a la guerra siguiendo a Saúl; se llamaban Eliab el primero, Abinadab el segundo y Sama el tercero. David era el más pequeño. Los tres mayores habían seguido a Saúl; David iba y venía del frente a Belén, para guardar el rebaño de su padre. El filisteo se aproximaba y se plantaba allí mañana y tarde; llevaba ya haciéndolo cuarenta días. Jesé dijo a su hijo David:

—Toma media fanega de grano tostado y estos diez panes, y llévaselos corriendo a tus hermanos al frente, y estos diez quesos llévaselos al comandante. Mira a ver cómo están tus hermanos y toma el recibo que te den. Saúl, tus hermanos y los soldados de Israel están en el valle de Ela, luchando contra los filisteos.

David madrugó, dejó el rebaño al cuidado del rabadán[98], cargó y se marchó, según el encargo de Jesé. Cuando llegaba al cercado de los carros, los soldados salían a formar, lanzando el alarido de guerra. Israelitas y filisteos formaron frente a frente. David dejó su carga al cuidado de los de intendencia, corrió hacia las filas y preguntó a sus hermanos qué tal estaban. Mientras hablaba con ellos, un campeón, el filisteo llamado Goliat, oriundo[99] de Gat, subió de las filas del ejército filisteo y empezó a decir aque-

---

[98] *Rabadán:* pastor que cuida una parte de un rebaño.

[99] *Oriundo:* originario, proveniente.

llo. David lo oyó; los israelitas, al ver a aquel hombre, huyeron aterrados. Uno dijo:

—¿Habéis visto a ese hombre que sube? ¡Pues sube a desafiar a Israel! Al que lo venza, el rey lo colmará de riquezas, le dará su hija y librará de impuestos a la familia de su padre en Israel.

David preguntó a los que estaban con él:

—¿Qué le darán al que venza a ese filisteo y salve la honra de Israel? Porque, ¿quién es ese filisteo incircunciso[100] para desafiar al ejército del Dios vivo?

Los soldados le repitieron lo mismo:

—Al que le venza le darán este premio.

Eliab, el hermano mayor, lo oyó hablar con los soldados y se le enfadó:

—¿Por qué has venido? ¿A quién dejaste aquellas cuatro ovejas en el páramo? Ya sé que eres un presumido y qué es lo que pretendes: a lo que has venido es a contemplar la batalla.

David respondió:

—¿Qué he hecho yo ahora?

Estaba preguntando. Se volvió hacia otro y preguntó:

—¿Qué es lo que dicen?

Los soldados le respondieron lo mismo que antes. Cuando se corrió lo que decía David, se lo contaron a Saúl, que lo mandó llamar. David dijo a Saúl:

—Majestad, no os desaniméis. Este servidor tuyo irá a luchar con ese filisteo.

Pero Saúl respondió:

—No podrás acercarte a ese filisteo para luchar con él, porque eres un muchacho, y él es un guerrero desde mozo.

---

[100] *Incircunciso:* no circuncidado, por tanto, no perteneciente a la alianza que Dios hizo con Abraham.

David le replicó:

—Tu servidor es pastor de las ovejas de mi padre, y si viene un león o un oso y se lleva una oveja del rebaño, salgo tras él, lo apaleo y se la quito de la boca, y si me ataca, lo agarro por la melena y lo golpeo hasta matarlo. Tu servidor ha matado leones y osos; ese filisteo incircunciso será uno más, porque ha desafiado a las huestes[101] del Dios vivo. —Y añadió—: El Señor, que me ha librado de las garras del león y de las garras del oso, me librará de las manos de ese filisteo.

Entonces Saúl le dijo:

—Anda con Dios.

Luego vistió a David con su uniforme, le puso un casco de bronce en la cabeza, le puso una loriga[102], y le ciñó su espada sobre el uniforme. David intentó en vano caminar, porque no estaba entrenado, y dijo a Saúl:

—Con esto no puedo caminar, porque no estoy entrenado.

Entonces se quitó todo de encima, agarró el cayado[103], escogió cinco cantos[104] del arroyo, se los echó al zurrón[105], empuñó la honda[106] y se acercó al filisteo. Este, precedido de su escudero, iba avanzando acercándose a David; lo miró de arriba abajo y lo despreció, porque era un muchacho de buen color y guapo, y le gritó:

---

[101] *Hueste:* ejército en campaña.

[102] *Loriga:* tipo de armadura.

[103] *Cayado:* bastón corvo por la parte superior que usan los pastores para prender y retener las reses.

[104] *Canto:* trozo de piedra.

[105] *Zurrón:* bolsa grande de piel que usan los pastores para guardar y llevar su comida u otras cosas.

[106] *Honda:* tira de cuero para tirar piedras con violencia.

—¿Soy yo un perro para que vengas a mí con un palo?

Luego maldijo a David invocando a sus dioses, y le dijo:

—Ven acá, y echaré tu carne a las aves del cielo y a las fieras del campo.

Pero David le contestó:

—Tú vienes hacia mí armado de espada, lanza y jabalina; yo voy hacia ti en nombre del Señor de los ejércitos, Dios de las huestes de Israel, a las que has desafiado. Hoy te entregará el Señor en mis manos, te venceré, te arrancaré la cabeza de los hombros y echaré tu cadáver y los del campamento filisteo a las aves del cielo y a las fieras de la tierra, y todo el mundo reconocerá que hay un Dios en Israel, y todos los aquí reunidos reconocerán que el Señor da la victoria sin necesidad de espadas ni lanzas, porque esta es una guerra del Señor, y él os entregará en nuestro poder.

Cuando el filisteo se puso en marcha y se acercaba en dirección de David, este salió de la formación y corrió velozmente en dirección del filisteo; echó mano al zurrón, sacó una piedra, disparó la honda y le pegó al filisteo en la frente: la piedra se le clavó en la frente, y cayó de bruces en tierra. Así venció David al filisteo, con la honda y una piedra; lo mató de un golpe, sin empuñar espada.

David corrió y se paró junto al filisteo, le agarró la espada, la desenvainó y lo remató, cortándole la cabeza. Los filisteos, al ver que había muerto su campeón, huyeron. Entonces los soldados de Israel y Judá, en pie, lanzaron el alarido de guerra y persiguieron a los filisteos hasta la entrada de Gat y hasta las puertas de Ecrón; los filisteos cayeron heridos por el camino de Saaraym hasta Gat y Ecrón.

Los israelitas dejaron de perseguir a los filisteos y se volvieron para saquearles el campamento. David agarró la cabeza del filisteo y la llevó a Jerusalén, las armas las guardó en su tienda.

Acabada la batalla, Saúl entregó a David a su hija Mical para que se casara con ella.

54. SAÚL SIENTE ENVIDIA DE DAVID

Cuando David acabó de hablar con Saúl, Jonatán se encariñó con David; lo quiso como a sí mismo. Saúl retuvo entonces a David y no lo dejó volver a casa de su padre. Jonatán y David hicieron un pacto, porque Jonatán lo quería como a sí mismo; se quitó el manto que llevaba y se lo dio a David, y también su ropa, la espada, el arco y el cinto.

David tenía tal éxito en todas las incursiones que le encargaba Saúl, que el rey lo puso al frente de los soldados, y cayó bien entre la tropa, e incluso entre los ministros de Saúl. Cuando volvieron de la guerra, después de haber matado David al filisteo, las mujeres de todas las poblaciones de Israel salieron a cantar y recibir con bailes al rey Saúl, al son alegre de panderos y sonajas. Y cantaban a coro esta copla: «Saúl mató a mil, David a diez mil». A Saúl le sentó mal aquella copla, y comentó enfurecido:

—¡Diez mil a David y a mí mil! ¡Ya solo le falta ser rey!

Y a partir de aquel día Saúl le tomó ojeriza a David.

Al día siguiente le vino a Saúl el ataque del mal espíritu, y andaba frenético por palacio, mientras David tocaba el arpa como de costumbre. Saúl llevaba la lanza en el manto y la arrojó, intentando clavar a David en la pared, pero David la esquivó dos veces. A Saúl le entró miedo de David, porque el Señor estaba con él y se había apartado de Saúl. Entonces alejó a David nombrándolo comandante, y hacía expediciones al frente de las tropas. Y todas sus campañas le salían bien, porque el Señor estaba con él.

Saúl vio que a David le salían las cosas muy bien, y le entró pánico. Todo Israel y Judá querían a David, porque los guiaba en sus expediciones.

55. SALMO DE DAVID

David, además de tocar el arpa, era un gran poeta. Compuso muchos cantos de alabanza a Dios, pero también otros llenos de temor, de súplicas y de quejas. Los conocemos con el nombre de Salmos. Este es uno de ellos:

El Señor es mi pastor: nada me falta.
En verdes praderas me hace recostar,
me conduce hacia fuentes tranquilas
y repara mis fuerzas;
me guía por senderos oportunos
como pide su título.
Aunque camine por sendas oscuras,
nada temo: Tú vas conmigo;
tu vara y tu cayado me sosiegan.
Me pones delante una mesa
frente a mis enemigos.
Me unges con perfume la cabeza,
mi copa rebosa.
Tu bondad y lealtad me escoltan
todos los días de mi vida;
y habitaré en la casa del Señor
por días sin término.

56. Huida de David

Delante de su hijo Jonatán y de sus ministros, Saúl habló de matar a David. Jonatán, hijo de Saúl, quería mucho a David, y le avisó:

—Mi padre, Saúl, te busca para matarte. Estate atento mañana y escóndete en sitio seguro; yo saldré e iré al lado de mi padre al campo donde tú estés; le hablaré de ti, y si saco algo en limpio, te lo comunicaré.

Así pues, Jonatán habló a su padre, Saúl, en favor de David:

—¡Que el rey no ofenda a su siervo David! Él no te ha ofendido, y lo que hace es en tu provecho; se jugó la vida cuando mató al filisteo, y el Señor dio a Israel una gran victoria; bien que te alegraste al verlo. ¡No vayas a pecar derramando sangre inocente, matando a David sin motivo!

Saúl hizo caso a Jonatán, y juró:

—¡Vive Dios, no morirá!

Jonatán llamó a David y le contó la conversación; luego lo llevó a donde Saúl, y David siguió en palacio como antes. Se reanudó la guerra y David salió a luchar contra los filisteos; les infligió tal derrota, que huyeron ante él.

Saúl mandó emisarios aquella noche a casa de David para vigilarlo y matarlo a la mañana. Pero su mujer, Mical, le avisó:

—Si no te pones a salvo esta misma noche, mañana eres cadáver.

Ella lo descolgó por la ventana y David se salvó huyendo. Mical agarró luego un ídolo, lo echó en la cama, puso en la cabecera un cojín de pelo de cabra y lo tapó con una colcha. Cuando Saúl mandó los emisarios a David, Mical les dijo:

—Está malo.

Pero Saúl despachó de nuevo a los emisarios para que buscaran a David:

—Traédmelo en la cama, que lo quiero matar.

Llegaron los emisarios y se encontraron con un ídolo en la cama y un cojín de pelo de cabra en la cabecera. Entonces Saúl dijo a Mical:

—¿Qué modo es este de engañarme? ¡Has dejado escapar a mi enemigo!

Mical le respondió:

—Él me amenazó: «Si no me dejas marchar, te mato».

Mientras tanto, David se salvó huyendo y llegó a Rama, el pueblo de Samuel, y le contó todo lo que había hecho Saúl. Entonces fueron los dos a alojarse al convento.

Comenzó un largo período en que David estuvo huido, tratando de escapar de la persecución de Saúl, que quería matarlo. Jonatán fue siempre fiel a su amigo y a la promesa que ambos se habían hecho, y le ayudó a conservar la vida. A pensar que sabía que tendría que renunciar a heredar el trono de su padre, Saúl, Jonatán nunca sintió envidia ni abandonó a David.

Varios cientos de hombres se unieron a David y, juntos, bajo las órdenes del propio David y de Itay, lograron burlar la persecución del rey Saúl. Dios los ayudó en todo momento.

En su recorrido, vieron que la región de Queila había sido invadida por una banda de ladrones filisteos, que saqueaban la tierra y maltrataban a sus habitantes. David y sus hombres se enfrentaron a los ladrones y liberaron la región. Así, entraron victoriosos en la ciudad de Queila y se quedaron allí durante un tiempo.

Cuando Saúl se enteró de lo ocurrido, envió a un ejército para que cercara la ciudad y apresara a David. Sin embargo, Dios le avisó a tiempo y David huyó a una región muy alejada, en el desierto, que llevaba el nombre de Zif. Allí David sintió mucho miedo, pero Jonatán, al enterarse de dónde estaba su amigo, fue a verle al desierto y logró reconfortarle.

57. Encuentro de Saúl y David

Los de Zif fueron a Guibeá a informar a Saúl:

—David está escondido en el cerro de Jaquilá, en la vertiente que da a la estepa.

Entonces Saúl emprendió la bajada hacia el páramo de Zif, con tres mil soldados israelitas, para dar una batida en busca de David. Acampó en el cerro de Jaquilá, en la vertiente que da a la estepa, junto al camino.

Cuando David, que vivía en el páramo, vio que Saúl venía a por él, despachó unos espías para averiguar dónde estaba Saúl. Entonces fue hasta el campamento de Saúl y se fijó en el sitio donde se acostaban Saúl y Abner, hijo de Ner, general del ejército; Saúl estaba acostado en el cercado de carros y la tropa acampaba alrededor. David preguntó a Ajimélec, el hitita, y a Abisay, hijo de Seruyá, hermano de Joab:

—¿Quién quiere venir conmigo al campamento de Saúl?

Abisay dijo:

—Yo voy contigo.

David y Abisay llegaron de noche al campamento. Saúl estaba echado, durmiendo en medio del cercado de carros, la lanza hincada[107] en tierra a la cabecera. Abner y la tropa estaban echados alrededor. Entonces Abisay dijo a David:

—Dios te pone el enemigo en la mano. Voy a clavarlo en tierra de una lanzada; no hará falta repetir el golpe.

Pero David le dijo:

—¡No lo mates, que no se puede atentar impunemente contra el ungido del Señor! ¡Vive Dios, que solo el Señor lo herirá: le llegará su hora y morirá, o acabará cayendo en la batalla! ¡Dios me

---

[107] *Hincada:* clavada.

libre de atentar contra el ungido del Señor! Toma la lanza que está a la cabecera y el botijo y vámonos.

David tomó la lanza y el botijo de la cabecera de Saúl y se marcharon. Nadie los vio, ni se enteró, ni despertó; estaban todos dormidos, porque los había invadido un letargo enviado por el Señor. David cruzó a la otra parte, se plantó en la cima del monte, lejos, dejando mucho espacio en medio, y gritó a la tropa y a Abner, hijo de Ner:

—Abner, ¿no respondes?

Abner preguntó:

—¿Quién eres tú, que gritas al rey?

David le dijo:

—¡Pues sí que eres todo un hombre! ¡El mejor de Israel! ¿Por qué no has guardado al rey, tu señor, cuando uno del pueblo entró a matarlo? ¡No te has portado bien! ¡Vive Dios, que merecéis la muerte por no haber guardado al rey, vuestro señor, al ungido del Señor! Mira dónde está la lanza del rey y el botijo que tenía a la cabecera.

Saúl reconoció la voz de David, y dijo:

—¿Es tu voz, David, hijo mío?

David respondió:

—Es mi voz, majestad. —Y añadió—: ¿Por qué me persigues así, mi señor? ¿Qué he hecho, qué culpa tengo? Que vuestra majestad se digne en escucharme: si es el Señor quien te instiga contra mí, apláquese con una oblación[108]; pero si son los hombres, ¡malditos sean de Dios!, porque me expulsan hoy y me impiden participar en la herencia del Señor, diciéndome que vaya a servir a otros dioses. Que mi sangre no caiga en tierra, lejos de la presencia del Señor, ya que el rey de Israel ha salido persiguiéndome a muerte, como se caza una perdiz por los montes.

Saúl respondió:

---

108 *Oblación:* ofrenda y sacrificio que se hace a Dios.

—¡He pecado! Vuelve, hijo mío, David, que ya no te haré nada malo, por haber respetado hoy mi vida. He sido un necio, me he equivocado totalmente.

David respondió:

—Aquí está la lanza del rey. Que venga uno de los mozos a recogerla. El Señor pagará a cada uno su justicia y su lealtad. Porque él te puso hoy en mis manos, pero yo no quise atentar contra el ungido del Señor. Que como yo he respetado hoy tu vida, respete el Señor la mía y me libre de todo peligro.

Entonces Saúl le dijo:

—¡Bendito seas, David, hijo mío! Tendrás éxito en todas tus cosas.

Luego David siguió su camino, y Saúl volvió a su palacio.

Los filisteos hicieron de nuevo la guerra a Israel. Jonatán y sus hermanos fueron asesinados. Saúl, viendo que ya no tenía escapatoria, murió dejándose caer sobre su propia espada. David, al enterarse de lo ocurrido, sintió una gran tristeza, y lloró amargamente la muerte de su fiel amigo Jonatán, diciendo: «¡Jonatán, herido en tus alturas! ¡Cómo sufro por ti, Jonatán, hermano mío! ¡Ay, cómo te quería! Tu amor era para mí más maravilloso que amoríos de mujeres. ¡Cómo cayeron los valientes, los rayos de la guerra perecieron!».

58. DAVID ES PROCLAMADO REY

Después consultó David al Señor:

—¿Puedo ir a alguna ciudad de Judá?

El Señor le respondió:

—Sí.

David preguntó:

—¿A cuál debo ir?

Respondió:

—A Hebrón.

Entonces subieron allá David y sus dos mujeres. Llevó también a todos sus hombres con sus familias y se establecieron en los alrededores de Hebrón. Los de Judá vinieron a ungir allí a David rey de Judá y le informaron:

—Los de Yabés de Galaad han dado sepultura a Saúl.

David mandó unos emisarios a los de Yabés de Galaad para decirles:

—El Señor os bendiga por esa obra de misericordia, por haber dado sepultura a Saúl, vuestro señor. El Señor os trate con misericordia y lealtad, que yo también os recompensaré esa acción. Ahora tened ánimo, sed valientes; Saúl, vuestro señor, ha muerto, pero Judá me ha ungido a mí rey suyo.

Todas las tribus de Israel fueron a Hebrón a decirle a David: Aquí nos tienes. Somos de la misma sangre. Ya antes, cuando todavía era Saúl nuestro rey, tú eras el verdadero general de Israel. El Señor te dijo: «Tú pastorearás a mi pueblo, Israel; tú serás jefe de Israel».

Fueron, pues, a Hebrón todos los concejales de Israel para visitar al rey. El rey David hizo un pacto con ellos, en Hebrón, ante el Señor, y ellos ungieron a David rey de Israel. Tenía treinta años cuando empezó a reinar, y reinó cuarenta años; en Hebrón reinó sobre Judá siete años y medio, y en Jerusalén reinó treinta y tres años sobre Israel y Judá.

Los israelitas marcharon a la conquista de Jerusalén, que estaba en manos de los jebuseos. Tomaron la ciudad y David estableció allí su corte, en el castillo de Sión. Llevaron también el arca de la Alianza, y David mandó construir una tienda para poder adorar a Dios dentro de ella.

El rey David cosechó importantes victorias contra los filisteos y otros pueblos enemigos de Israel. Su reino era cada vez más rico y más próspero, y su fama se extendió por toda la región.

59. DAVID Y BETSABÉ

Al año siguiente, en la época en que los reyes van a la guerra, David envió a Joab con sus oficiales y todo Israel a devastar la región de los amonitas y sitiar a Raba. David, mientras tanto, se quedó en Jerusalén, y un día, a eso del atardecer, se levantó de la cama y se puso a pasear por la azotea de palacio, y desde la azotea vio a una mujer bañándose, una mujer muy bella. David mandó a preguntar por la mujer, y le dijeron:

—Es Betsabé, hija de Alian, esposa de Urías, el hitita.

David mandó a unos para que se la trajesen; llegó la mujer, y David se acostó con ella, que estaba purificándose de sus reglas[109]. Después Betsabé volvió a su casa; quedó encinta y mandó este aviso a David:

—Estoy encinta.

Entonces David mandó esta orden a Joab:

—Mándame a Urías, el hitita.

Joab se lo mandó. Cuando llegó Urías, David le preguntó por Joab, el ejército y la guerra. Luego le dijo:

—Anda a casa a lavarte los pies.

---

[109] Se consideraba que la mujer era impura mientras estaba menstruando y durante esos días no podía mantener relaciones sexuales. Una vez acabada la menstruación la mujer debía purificarse a través de una serie de baños y rituales.

Urías salió de palacio y detrás de él le llevaron un regalo del rey. Pero Urías durmió a la puerta de palacio, con los guardias de su señor; no fue a su casa. Avisaron a David que Urías no había ido a su casa, y David le dijo:

—Has llegado de viaje, ¿por qué no vas a casa?

Urías le respondió:

—El arca, Israel y Judá viven en tiendas; Joab, mi jefe, y sus oficiales acampan al raso; ¿y voy yo a ir a mi casa a banquetear y a acostarme con mi mujer? ¡Vive Dios, por tu vida, no haré tal!

David le dijo:

—Quédate aquí hoy, que mañana te dejaré ir.

Urías se quedó en Jerusalén aquel día. Al día siguiente David lo convidó a un banquete y lo emborrachó. Al atardecer, Urías salió para acostarse con los guardias de su señor, y no fue a su casa. A la mañana siguiente David escribió una carta a Joab y se la mandó por medio de Urías. El texto de la carta era: «Pon a Urías en primera línea, donde sea más recia la lucha, y retiraos dejándolo solo, para que lo hieran y muera».

Joab, que tenía cercada la ciudad, puso a Urías donde sabía que estaban los defensores más aguerridos. Los de la ciudad hicieron una salida, trabaron combate con Joab, y hubo algunas bajas en el ejército entre los oficiales de David; murió también Urías, el hitita. Joab mandó a David el parte de guerra, ordenando al mensajero:

—Cuando acabes de dar el parte al rey, si el rey monta en cólera y te pregunta: «¿Por qué os acercasteis a la ciudad a combatir? ¿No sabíais que los arqueros disparan de lo alto de la muralla? ¿Quién hirió a Abimelec, hijo de Yerubaal? ¡Una mujer, desde lo alto de la muralla, le dejó caer encima una piedra de moler, y así murió en Tebes! ¿Por qué os acercasteis a la muralla?», tú entonces añades: «Ha muerto también tu siervo Urías, el hitita».

Marchó el mensajero, se presentó a David y le comunicó el mensaje de Joab. David se enfadó, pero el mensajero le dijo:

—Es que el enemigo se lanzó contra nosotros, haciendo una salida a campo abierto; nosotros los rechazamos hasta la entrada de la ciudad, y entonces los arqueros nos dispararon desde la muralla; murieron algunos de los soldados del rey y también murió tu siervo Urías, el hitita.

Entonces David dijo al mensajero:

—Dile a Joab que no se preocupe por lo que ha pasado; porque así es la guerra: un día cae uno y otro día cae otro; que insista en dar el asalto a la ciudad hasta arrasarla. Y tú anímalo.

La mujer de Urías oyó que su marido había muerto e hizo duelo por él. Cuando pasó el luto, David mandó a por ella y la recogió en su casa; la tomó por esposa, y le dio a luz un hijo. Pero el Señor reprobó lo que había hecho David.

60. Arrepentimiento de David

El Señor envió a Natán. Entró Natán ante el rey y le dijo:

—Había dos hombres en un pueblo: uno rico y otro pobre. El rico tenía muchos rebaños de ovejas y bueyes; el pobre sólo tenía una corderilla que había comprado; la iba criando, y ella crecía con él y con sus hijos, comiendo de su pan, bebiendo de su vaso, durmiendo en su regazo: era como una hija. Llegó una visita a casa del rico, y no queriendo perder una oveja o un buey, para invitar a su huésped, tomó la cordera del pobre y convidó a su huésped.

David se puso furioso contra aquel hombre, y dijo a Natán:

—¡Vive Dios, que el que ha hecho eso es reo de muerte! No quiso respetar lo del otro, pues pagará cuatro veces el valor de la cordera.

Entonces Natán dijo a David:

—¡Eres tú! Así dice el Señor, Dios de Israel: Yo te ungí rey de Israel, te libré de Saúl, te di la hija de tu señor, puse en tus brazos sus mujeres, te di la casa de Israel y Judá, y por si fuera poco te añadiré otros favores. ¿Por qué te has burlado del Señor haciendo lo que él reprueba? Has asesinado a Urías, el hitita, para casarte con su mujer. Pues bien, no se apartará jamás la espada de tu casa, por haberte burlado de mí casándote con la mujer de Urías, el hitita, y matándolo a él con la espada amonita. Así dice el Señor: Yo haré que de tu propia casa nazca tu desgracia; te arrebataré tus mujeres y ante tus ojos se las daré a otro, que se acostará con ellas a la luz del sol que nos alumbra. Tú lo hiciste a escondidas, yo lo haré ante todo Israel, en pleno día.

David dijo a Natán:

—¡He pecado contra el Señor!

Natán le respondió:

—El Señor ha perdonado ya tu pecado, no morirás. Pero por haber despreciado al Señor con lo que has hecho, el hijo que te ha nacido morirá.

Natán marchó a su casa. El Señor hirió al niño que la mujer de Urías había dado a David, y cayó gravemente enfermo. David pidió a Dios por el niño, prolongó su ayuno y de noche se acostaba en el suelo. Los ancianos de su casa intentaron levantarlo, pero él se negó, ni quiso comer nada con ellos. El séptimo día murió el niño. Los cortesanos de David temieron darle la noticia de que había muerto el niño, pues se decían:

—Si cuando el niño estaba vivo le hablábamos al rey y no atendía a lo que decíamos, ¿cómo le decimos ahora que ha muerto el niño? ¡Hará un disparate!

David notó que sus cortesanos andaban cuchicheando y adivinó que había muerto el niño. Les preguntó:

—¿Ha muerto el niño?

Ellos dijeron:

—Sí.

Entonces David se levantó del suelo, se bañó y se mudó; fue al templo a adorar al Señor; luego fue a palacio, pidió la comida, se la sirvieron y comió. Sus cortesanos le dijeron:

—¿Qué manera es esta de proceder? ¡Ayunabas y llorabas por el niño cuando estaba vivo, y en cuanto ha muerto te levantas y te pones a comer!

David respondió:

—Mientras el niño estaba vivo ayuné y lloré, pensando que quizá el Señor se apiadaría de mí y el niño se curaría. Pero ahora ha muerto, ¿qué saco con ayunar? ¿Podré hacerlo volver? Soy yo quien irá donde él, él no volverá a mí.

Luego consoló a su mujer, Betsabé, fue y se acostó con ella. Betsabé dio a luz un hijo, y David le puso el nombre de Salomón; el Señor lo amó, y envió al profeta Natán, que le puso el nombre de Yedidías por orden del Señor.

61. AMNÓN Y TAMAR

Pasó cierto tiempo. Absalón, hijo de David, tenía una hermana muy guapa, llamada Tamar, y Amnón, hijo de David, se enamoró de ella tan apasionadamente, que se puso enfermo por ella, pues su hermana Tamar era soltera, y a Amnón le parecía imposible intentar nada con ella.

Amnón tenía un amigo llamado Jonadab, hijo de Sama, hermano de David. Jonadab era muy hábil, y le dijo:

—¿Qué te pasa, príncipe, que cada día tienes peor cara? ¿Por qué no me lo cuentas?

Amnón respondió:

—Tamar, la hermana de mi hermano Absalón; estoy enamorado de ella.

Entonces Jonadab le propuso:

—Acuéstate como que estás enfermo, y cuando tu padre vaya a verte, le pides que vaya tu hermana Tamar a darte de comer: que te prepare algo allí delante, para que tú lo veas, y te lo sirva ella misma.

Amnón se acostó y se fingió enfermo. El rey fue a verlo y Amnón le dijo:

—Por favor, que venga mi hermana Tamar y me fría aquí delante dos buñuelos y que me los sirva ella misma.

David envió un recado a casa de Tamar:

—Vete a casa de tu hermano Amnón y prepárale algo de comer.

Tamar fue a casa de su hermano Amnón, que estaba acostado, tomó harina, la amasó, la preparó y frió los buñuelos delante de Amnón. Luego los sacó de la sartén delante de él, pero Amnón no quiso comer, y ordenó:

—¡Salid todos!

Cuando salieron todos, Amnón dijo a Tamar:

—Trae la comida a la alcoba y dame tú misma de comer.

Tamar tomó los buñuelos y se los llevó a su hermano a la alcoba; pero al acercarse a él para darle de comer, Amnón la sujetó y le dijo:

—Ven, hermana mía, acuéstate conmigo.

Ella replicó:

—No, hermano mío; no me fuerces, que eso no se hace en Israel, no hagas esa villanía. ¿Dónde iré yo con mi deshonra? Tú quedarás como un villano en Israel. Por favor, díselo al rey, que no se opondrá a que yo sea tuya.

Pero Amnón no quiso hacerle caso, la forzó violentamente y se acostó con ella. Después sintió un terrible aborrecimiento hacia ella, un aborrecimiento mayor que el amor que le había tenido, y le dijo:

—¡Levántate, vete!

Pero ella le suplicó:

—¡No, hermano; despacharme ahora sería una maldad más grave que la que acabas de hacer conmigo!

Pero él no le hizo caso; llamó a un sirviente y ordenó:

—¡Echadme a esa a la calle! ¡Y ciérrale la puerta!

(Ella llevaba una túnica con mangas, porque así vestían tradicionalmente las hijas solteras del rey). El sirviente la sacó a la calle y le cerró la puerta. Tamar se echó polvo a la cabeza, se rasgó la túnica y se fue gritando por el camino, con las manos en la cabeza. Su hermano Absalón le preguntó:

—¿Ha estado contigo tu hermano Amnón? Bueno, hermana, tú calla; es tu hermano, no te atormentes por eso.

Tamar se quedó, desolada, en casa de su hermano Absalón. El rey David oyó lo que había pasado y se indignó, pero no quiso dar un disgusto a su hijo Amnón, a quien amaba por ser su primogénito. Absalón no dirigió una palabra ni buena ni mala a Amnón, pero le guardó rencor por haber violado a su hermana Tamar.

Dos años después, estando Absalón de esquileo en Baal Jasor, junto a Efrón, convidó a todos los hijos del rey. Se presentó al rey y le dijo:

—Un servidor está ahora en el esquileo[110]. Dígnese venir conmigo el rey y su corte.

El rey respondió:

—No, hijo; no vamos a ir todos a serte una carga. Él insistió, pero David no quiso ir, y lo despidió con su bendición.

Absalón le dijo:

—Que venga con nosotros por lo menos mi hermano Amnón.

El rey preguntó:

—¿Para qué va a ir contigo?

Pero Absalón insistió, y entonces David mandó con él a Amnón y a todos los hijos del rey. Absalón preparó un banquete regio y ordenó a sus criados:

—Fijaos. Cuando Amnón esté ya bebido y yo os dé la orden de herirlo, lo matáis, sin miedo ninguno; os lo mando yo. Ánimo, sed valientes.

Los criados de Absalón cumplieron sus órdenes. Entonces todos los hijos del rey emprendieron la huida cada uno en su mulo. Iban todavía de camino, y ya le llegó a David la noticia:

---

[110] *Esquileo:* casa donde se esquila el ganado.

—¡Absalón ha matado a todos los hijos del rey y no queda ninguno!

El rey se levantó, se rasgó las vestiduras y se echó por tierra. Todos los ministros se rasgaron las vestiduras. Pero Jonadab, hijo de Sama, hermano de David, dijo:

—No piense su majestad que han matado a todos los hijos del rey. Solo ha muerto Amnón. Absalón lo decidió el día que Amnón violó a su hermana Tamar. Así que no se preocupe su majestad pensando que han muerto todos los hijos del rey, porque sólo ha muerto Amnón, y Absalón ha huido.

El centinela[111], alzando la vista, vio un gran gentío por el camino de Joronaín, en la cuesta, y avisó al rey:

—He visto gente por el camino de Joronaín, por la ladera del monte.

Jonadab dijo al rey:

—Son los hijos del rey que llegan. Pasa lo que decía tu servidor.

Acababa de hablar, cuando entraron los hijos del rey gritando y llorando. También el rey y toda su corte se echaron a llorar inconsolables. Absalón fue a refugiarse en el territorio de Talmay, hijo de Amihud, rey de Guesur, donde permaneció tres años. El rey David guardó luto por su hijo todo aquel tiempo. Pero después de calmar su dolor por la muerte de Amnón, el rey cesó en su cólera contra Absalón.

62. Absalón conspira contra David

Absalón se agenció inmediatamente una carroza, caballos y cincuenta hombres de escolta. Se ponía temprano junto a la entrada de la ciudad, llamaba a los que iban con algún pleito al tribunal del rey y les decía:

---

[111] *Centinela:* soldado que vela guardando el puesto que se le encarga.

—¿De qué población eres?

El otro respondía:

—Tu servidor es de tal tribu israelita.

Entonces Absalón decía:

—Mira, tu caso es justo y está claro; pero nadie te va a atender en la audiencia del rey. —Y añadía—: ¡Ah, si yo fuera juez en el país! Podrían acudir a mí los que tuvieran pleitos o asuntos y yo les haría justicia.

Y cuando se le acercaba alguno postrándose ante él, Absalón le tendía la mano, lo alzaba y lo besaba. Así hacía con todos los israelitas que iban al tribunal del rey, y así se los iba ganando. Al cabo de cuatro años, Absalón dijo al rey:

—Déjame ir a Hebrón, a cumplir una promesa que hice al Señor, porque cuando estuve en Guesur de Jarán hice esta promesa: «Si el Señor me deja volver a Jerusalén, le ofreceré un sacrificio en Hebrón».

El rey le dijo:

—Vete en paz.

Absalón emprendió la marcha hacia Hebrón, pero despachó agentes por todas las tribus de Israel con este encargo:

—Cuando oigáis el sonido de la trompa, decid: «¡Absalón es rey de Hebrón!».

Desde Jerusalén marcharon con Absalón doscientos convidados; caminaban inocentemente, sin sospechar nada.

Durante los sacrificios, Absalón mandó gente a Guiló para hacer venir del pueblo a Ajitófel, el guilonita, consejero de David. La conspiración fue tomando fuerza, porque aumentaba la gente que seguía a Absalón. Pero uno llevó esta noticia a David:

—Los israelitas se han puesto de parte de Absalón.

Entonces David dijo a los cortesanos que estaban con él en Jerusalén:

—¡Ea, huyamos! Que si se presenta Absalón, no nos dejará escapar. Salgamos a toda prisa, no sea que él se adelante, nos alcance y precipite la ruina sobre nosotros y pase a cuchillo la población.

Los cortesanos le respondieron:

—Lo que vuestra majestad decida. ¡A tus órdenes!

El rey dejó diez concubinas para cuidar del palacio y salió acompañado de toda su corte. Se detuvieron junto a la última casa de la ciudad; los ministros se colocaron a su lado y los quereteos, los pelteos, Itay y los de Gat (seiscientos hombres que lo habían seguido desde Gat) fueron pasando ante el rey.

David subió la Cuesta de los Olivos; la subía llorando, la cabeza cubierta y los pies descalzos. Y todos sus acompañantes llevaban cubierta la cabeza, y subían llorando. Dijeron a David:

—Ajitófel se ha unido a la conspiración de Absalón.

David oró:

—¡Señor, que fracase el plan de Ajitófel!

Cuando David llegó al humilladero[112] que había en la cima, salió a su encuentro Jusay, el arquita, rasgada la túnica y con polvo en la cabeza. David le dijo:

—Si vienes conmigo, me vas a ser una carga. Pero puedes hacer fracasar el plan de Ajitófel si vuelves a la ciudad y le dices a Absalón: «Majestad, soy tu esclavo; antes lo fui de tu padre, ahora lo soy tuyo». Allí tienes a los sacerdotes Sadoc y Abiatar; todo lo que oigas en palacio díselo a los sacerdotes Sadoc y Abiatar. Con ellos estarán allí Ajimás, hijo de Sadoc, y Jonatán, hijo de Abiatar, y por medio de ellos me comunicáis todo lo que averigüéis.

---

[112] *Humilladero:* lugar devoto que suele haber a las entradas o salidas de los pueblos y junto a los caminos.

Jusay, amigo de David, se fue a la ciudad. Y Absalón entró en Jerusalén.

63. Muerte de Absalón

Absalón, habiendo ocupado ya Jerusalén, tramó un plan con Ajitófel para cruzar el Jordán y asesinar a David, su padre.

Cuando David llegaba a Majanain, Absalón pasaba el Jordán con todo Israel.

David revistó sus tropas y les nombró jefes y oficiales; luego dividió el ejército en tres cuerpos; uno al mando de Joab; el segundo al mando de Abisay, hijo de Seruyá, hermano de Joab, y el tercero al mando de Itay, el de Gat. Y dijo a los soldados:

—Yo también iré con vosotros.

Le respondieron:

—No vengas. Que si nosotros tenemos que huir, eso no nos importa; si morimos la mitad, no nos importa. Tú vales por mil de nosotros; es mejor que nos ayudes desde la ciudad.

El rey les dijo:

—Haré lo que mejor os parezca.

Y se quedó junto a las puertas mientras todo el ejército salía al combate, por compañías y batallones. El rey dio este encargo a Joab, Abisay e Itay:

—¡Cuidadme al muchacho, a Absalón!

Y todos oyeron el encargo del rey a sus generales.

El ejército de David salió al campo para hacer frente a Israel. Se entabló la batalla en la espesura de Efraín, y allí fue derrotado el ejército de Israel por los de David; fue gran derrota la de aquel día: veinte mil bajas. La lucha se extendió a toda la zona, y la espesura devoró aquel día más gente que la espada.

Absalón fue a dar en un destacamento de David. Iba montado en un mulo, y al meterse el mulo bajo el ramaje de una encina copuda[113], se le enganchó a Absalón la cabeza en la encina y quedó colgando entre el cielo y la tierra, mientras el mulo que cabalgaba se le escapó. Lo vio uno y avisó a Joab:

—¡Acabo de ver a Absalón colgado de una encina!

Joab dijo al que le daba la noticia:

—Pues si lo has visto, ¿por qué no lo clavaste en tierra, y ahora yo tendría que darte diez monedas de plata y un cinturón?

Pero el hombre le respondió:

—Aunque sintiera yo en la palma de la mano el peso de mil monedas de plata, no atentaría contra el hijo del rey; estábamos presentes cuando el rey os encargó a ti, a Abisay y a Itay que le cuidaseis a su hijo Absalón. Si yo hubiera cometido por mi cuenta tal villanía, como el rey se entera de todo, tú te pondrías contra mí.

Entonces Joab dijo:

—¡No voy a andar con contemplaciones por tu culpa! —Agarró tres venablos[114] y se los clavó en el corazón a Absalón, todavía vivo en el ramaje de la encina.

Los diez asistentes de Joab se acercaron a Absalón y lo acribillaron, rematándolo. Joab tocó la trompa para detener a la tropa, y el ejército dejó de perseguir a Israel. Luego agarraron a Absalón y lo tiraron a un hoyo grande en la espesura, y echaron encima un montón enorme de piedras. Los israelitas huyeron todos a la desbandada.

Absalón se había erigido en vida una estela en Emec Hammelek, pensando: «No tengo un hijo que lleve mi apellido». Grabó su nombre en la estela; hasta hoy se la llama Monumento de Absalón.

---

[113] *Copuda:* que tiene mucha copa.
[114] *Venablo:* dardo o lanza corta y arrojadiza.

Cuando informaron a David de la muerte de su hijo Absalón, el rey se sumió en la desesperación, exclamando: «¡Hijo mío, Absalón, hijo mío! ¡Hijo mío, Absalón! ¡Ojalá hubiera muerto yo en vez de ti, Absalón, hijo mío, hijo mío!».

David perdonó la vida a aquellos que no le habían ayudado durante su huida y regresó a Jerusalén con su pueblo. Reinó hasta una edad muy avanzada, y alcanzó gran fama y poder. Al sentir la cercanía de la muerte, entregó el trono a Salomón, el hijo que había tenido con Betsabé.

64. Oración de Salomón

Salomón emparentó con el Faraón de Egipto, casándose con una hija suya. La llevó a la Ciudad de David mientras terminaban las obras del palacio, del templo y de la muralla en torno a Jerusalén.

La gente seguía sacrificando en los altozanos, porque todavía no se había construido el templo en honor del Señor, y aunque Salomón amaba al Señor, procediendo según las normas de su padre, David, sacrificaba y quemaba incienso en los altozanos[115].

El rey fue a Gabaón a ofrecer allí sacrificios, pues allí estaba la ermita principal. En aquel altar ofreció Salomón mil holocaustos. En Gabaón el Señor se apareció aquella noche en sueños a Salomón, y le dijo:

---

[115] A partir de un momento, cuando Salomón terminó de construir el templo de Jerusalén, se prohibió realizar sacrificios al Dios de Israel en ningún otro lugar. Toda la actividad de culto quedó centralizada en el Templo.

—Pídeme lo que quieras.

Salomón respondió:

—Tú le hiciste una gran promesa a tu siervo, mi padre, David, porque procedió de acuerdo contigo, con lealtad, justicia y rectitud de corazón, y le has cumplido esa gran promesa dándole un hijo que se siente en su trono: es lo que sucede hoy. Pues bien, Señor, Dios mío, tú has hecho a tu siervo sucesor de mi padre, David; pero yo soy un muchacho que no sé valerme. Tu siervo está en medio del pueblo que elegiste, un pueblo tan numeroso que no se puede contar ni calcular. Enséñame a escuchar para que sepa gobernar a tu pueblo y discernir entre el bien y el mal; si no, ¿quién podrá gobernar a este pueblo tuyo tan grande?

Al Señor le pareció bien que Salomón pidiera aquello, y le dijo:

—Por haber pedido esto, y no haber pedido una vida larga, ni haber pedido riquezas, ni haber pedido la vida de tus enemigos, sino inteligencia para acertar en el gobierno, te daré lo que has pedido: una mente sabia y prudente, como no la hubo antes de ti ni la habrá después de ti. Y te daré también lo que no has pedido: riquezas y fama mayores que las de rey alguno. Y si caminas por mis sendas, guardando mis preceptos y mandatos, como hizo tu padre, David, te daré larga vida.

Salomón despertó: había tenido un sueño. Entonces fue a Jerusalén, y en pie ante el arca de la Alianza del Señor ofreció holocaustos y sacrificios de comunión y dio un banquete a toda la corte.

65. EL JUICIO DE SALOMÓN

Por entonces acudieron al rey dos prostitutas; se presentaron ante él y una de ellas dijo:

—Majestad, esta mujer y yo vivíamos en la misma casa; yo di a luz estando ella en la casa. Y tres días después también esta mujer dio a luz. Estábamos juntas en casa, no había nadie de fuera con nosotras, solo nosotras dos. Una noche murió el hijo de esta mujer, porque ella se recostó sobre él; se levantó de noche y, mientras tu servidora dormía, tomó a mi hijo de junto a mí y lo acostó junto a ella, y a su hijo muerto lo puso junto a mí. Yo me incorporé por la mañana para dar el pecho a mi niño, y resulta que estaba muerto; me fijé bien y vi que no era el niño que yo había dado a luz.

Pero la otra mujer replicó:

—No. Mi hijo es el que está vivo, el tuyo es el muerto.

Y así discutían ante el rey.

Entonces habló el rey:

—Esta dice: «Mi hijo es este, el que está vivo; el tuyo es el muerto». Y esta otra dice: «No, tu hijo es el muerto, el mío es el que está vivo».

Y ordenó:

—Dadme una espada.

Le presentaron la espada, y dijo:

—Partid en dos al niño vivo; dadle una mitad a una y otra mitad a la otra.

Entonces a la madre del niño vivo se le conmovieron las entrañas por su hijo y suplicó:

—¡Majestad, dadle a ella el niño vivo, no lo matéis!

Mientras que la otra decía:

—Ni para ti ni para mí. Que lo dividan.

Entonces el rey sentenció:

—Dadle a esa el niño vivo, no lo matéis. ¡Esa es su madre!

Todo Israel se enteró de la sentencia que había pronunciado el rey, y respetaron al rey, viendo que poseía una sabiduría sobrehumana para administrar justicia.

Salomón fue un rey poderoso, sabio y famoso. Hizo alianzas con los pueblos vecinos para que Israel pudiera vivir en paz. Poseía innumerables tesoros de oro, plata y joyas que había heredado de su padre o que le regalaban otros reyes, en señal de amistad. Su sabiduría superó a la de los mayores sabios de Oriente y Egipto. De todos los rincones del mundo le venían a escuchar. Lo sabía todo de las plantas y los animales, y también era un gran poeta. Compuso uno de los más hermosos poemas de amor que jamás se han escrito.

Una de las obras más importantes del reinado de Salomón fue la construcción del templo. Salomón sustituyó la tienda del encuentro por un magnífico templo en el que se guardaba el arca de la Alianza y se realizaban los servicios religiosos. También se hizo un maravilloso palacio. Todas las salas del templo y del palacio estaban hechas de madera de cedro, y adornadas con oro, plata y piedras preciosas.

66. El Cantar de los Cantares

Estos son algunos de los versos del poema amoroso de Salomón, puesto en boca de una pareja de enamorados:

ELLA:
¡La voz de mi amado! ¡Ya viene!
Saltando por los montes,
brincando sobre las colinas.
Mi amado como una gacela,
o un cervatillo. ¡Mira!
Ahí está, quieto tras nuestro muro,
observa tras las ventanas, atisba
a través de las celosías.
Me está hablando mi amor:

ÉL:
Levántate, hermosa, amiga mía,
y ven conmigo.
El invierno ha pasado,
la lluvia ha cesado y se ha ido.
La tierra ha florecido y ha llegado
el tiempo de los cantos,
y la voz de la tórtola
recorre nuestras tierras.
Los higos ya maduros en la higuera,
las vides con uvas en sazón
regalan su perfume.
Levántate, hermosa, amiga mía,
y ven conmigo.
Entre los pliegues de la roca,
en los escondrijos de la escarpada
senda, ¡paloma mía,
déjame ver tus formas,
oír tu voz!
Pues tu voz es dulce y tu forma hermosa.

ÉL Y ELLA:
Apartad a los zorros,
los zorritos que destruyen las viñas,
porque nuestras viñas están en flor.

ELLA:
De mi amado soy, y él mío es.
¡Aquel que pace entre las flores!
Antes que sople el día,

y se escapen las sombras,
¡vuélvete, amado mío, conviértete
en una gacela o un cervatillo
del monte de Beter!

67. PROVERBIOS DE SALOMÓN

Salomón, con su gran sabiduría, impulsó la creación y recopila-ción de una serie de proverbios en los que se encierran valiosos conse-jos y enseñanzas para la vida. Contienen la sabiduría del antiguo pueblo de Israel y continuaron componiéndose y recogiéndose tras su muerte. Estos son algunos ejemplos:

Seis cosas detesta el Señor
y una séptima la aborrece de corazón:
ojos engreídos, lengua embustera,
manos que derraman sangre inocente,
corazón que maquina planes malvados,
pies que corren para la maldad,
testigo falso que profiere mentiras
y el que siembra discordias
entre hermanos.

* * *

El corazón del rey es una acequia en manos de Dios:
la dirige a donde quiere.
Al hombre le parece siempre recto su camino,
pero es Dios quien pesa los corazones.
Practicar el derecho y la justicia
Dios lo prefiere a los sacrificios.

Ojos altivos, mente ambiciosa;
el pecado es besana[116] de los malvados.

* * *

Hay tres cosas que me rebasan
y una cuarta que no comprendo:
el camino del águila por el cielo,
el camino de la serpiente por la peña,
el camino de la nave por el mar,
el camino del varón por la doncella.

68. ADVERTENCIA DE DIOS A SALOMÓN

Cuando Salomón terminó el templo, el palacio real y todo cuanto quería y deseaba, el Señor se le apareció otra vez, como en Gabaón, y le dijo:

—He escuchado la oración y súplica que me has dirigido. Consagro este templo que has construido, para que en él resida mi Nombre por siempre; siempre estarán en él mi corazón y mis ojos. En cuanto a ti, si procedes de acuerdo conmigo como tu padre, David, con corazón íntegro y recto, haciendo exactamente lo que te mando y cumpliendo mis mandatos y preceptos, conservaré tu trono real en Israel perpetuamente, como le prometí a tu padre, David: «No te faltará un descendiente en el trono de Israel». Pero si vosotros o vuestros hijos apostatáis, o no guardáis los preceptos y mandatos que os he dado, y vais a dar culto a otros dioses y los adoráis, borraré a Israel de la tierra que yo le di, recha-

---

[116] *Besana:* primer surco que se abre en la tierra cuando se empieza a arar.

zaré el templo que he consagrado a mi Nombre e Israel será el refrán y la burla de todas las naciones. Este templo será un montón de ruinas; los que pasen se asombrarán y silbarán, comentando: «¿Por qué ha tratado así el Señor a este país y a este Templo?». Y les dirán: «Porque abandonaron al Señor, su Dios, que había sacado a sus padres de Egipto; porque se aferraron a otros dioses, los adoraron y les dieron culto; por eso el Señor les ha echado encima esta catástrofe».

69. Visita de la reina de Saba

La reina de Saba oyó la fama de Salomón y fue a desafiarlo con enigmas. Llegó a Jerusalén con una gran caravana de camellos cargados de perfumes y oro en gran cantidad y piedras preciosas. Entró en el palacio de Salomón y le propuso todo lo que pensaba. Salomón resolvió todas sus consultas; no hubo una cuestión tan oscura que el rey no pudiera resolver.

Cuando la reina de Saba vio la sabiduría de Salomón, la casa que había construido, los manjares de su mesa, toda la corte sentada a la mesa, los camareros con sus uniformes sirviendo, las bebidas, los holocaustos que ofrecía en el templo del Señor, se quedó asombrada, y dijo al rey:

—¡Es verdad lo que me contaron en mi país de ti y tu sabiduría! Yo no quería creerlo; pero ahora que he venido y lo veo con mis propios ojos, resulta que no me habían dicho ni la mitad. En sabiduría y riquezas superas todo lo que yo había oído. ¡Dichosa tu gente, dichosos los cortesanos, que están siempre en tu presencia aprendiendo de tu sabiduría! ¡Bendito sea el Señor, tu Dios, que, por el amor eterno que tiene a Israel, te ha elegido para colocarte en el trono de Israel y te ha nombrado rey para que gobiernes con justicia!

La reina regaló al rey cuatro mil kilos de oro, gran cantidad de perfumes y piedras preciosas. Nunca llegaron tantos perfumes como los que la reina de Saba regaló al rey Salomón. Por su parte, el rey Salomón regaló a la reina de Saba todo lo que a ella se le antojó, aparte de lo que el mismo rey Salomón, con su esplendidez, le regaló. Después ella y su séquito emprendieron el viaje de vuelta a su país.

70. Idolatría de Salomón

El rey Salomón se enamoró de muchas mujeres extranjeras, además de la hija del Faraón: moabitas, amonitas, edomitas, fenicias e hititas, de las naciones de quienes había dicho el Señor a los de Israel: «No os unáis con ellas ni ellas con vosotros, porque os desviarán el corazón tras sus dioses». Salomón se enamoró perdidamente de ellas; tuvo setecientas esposas y trescientas concubinas. Y así, cuando llegó a viejo, sus mujeres desviaron su corazón tras dioses extranjeros; su corazón ya no perteneció por entero al Señor, como el corazón de David, su padre.

Salomón siguió a Astarté, diosa de los fenicios; a Malcón, ídolo de los amonitas. Hizo lo que el Señor reprueba; no siguió plenamente al Señor, como su padre, David. Entonces construyó una ermita a Camós, ídolo de Moab, en el monte que se alza frente a Jerusalén, y a Malcón, ídolo de los amonitas. Hizo otro tanto para sus mujeres extranjeras, que quemaban incienso y sacrificaban en honor de sus dioses.

El Señor se encolerizó contra Salomón, porque había desviado su corazón del Señor, Dios de Israel, que se le había aparecido dos veces, y que precisamente le había prohibido seguir a dioses extranjeros; pero Salomón no cumplió esta orden. Entonces el Señor le dijo:

—Por haberte portado así conmigo, siendo infiel al pacto y a los mandatos que te di, te voy a arrancar el reino de las manos para dárselo a un siervo tuyo. No lo haré mientras vivas, en consideración a tu padre, David; se lo arrancaré de la mano a tu hijo. Y ni siquiera le arrancaré todo el reino; dejaré a tu hijo una tribu, en consideración a mi siervo David y a Jerusalén, mi ciudad elegida.

71. División del reino

Se iniciaron entonces una serie de rebeliones y disturbios en el reino. A la muerte de Salomón, quiso heredar el trono su hijo Roboán, pero una parte importante del pueblo lo rechazó.

Roboán fue a Siquén porque todo Israel había acudido allí para proclamarlo rey. (Cuando se enteró Jeroboán, hijo de Nabat —estaba todavía en Egipto, adonde había ido huyendo del rey Salomón—, volvió de Egipto, porque habían mandado llamarlo). Jeroboán y toda la asamblea israelita hablaron a Roboán:

—Tu padre nos impuso un yugo pesado. Aligera tú ahora la dura servidumbre a que nos sujetó tu padre y el pesado yugo que nos echó encima, y te serviremos.

Él les dijo:

—Marchaos, y al cabo de tres días volved.

Ellos se fueron y el rey Roboán consultó a los ancianos que habían estado al servicio de su padre, Salomón, mientras vivía:

—¿Qué me aconsejáis que responda a esa gente?

Le dijeron:

—Si condesciendes hoy con este pueblo, poniéndote a su servicio, y le respondes con buenas palabras, serán siervos tuyos de por vida.

Pero él desechó el consejo de los ancianos y consultó a los jóvenes que se habían educado con él y estaban a su servicio. Les preguntó:

—Esta gente pide que les aligere el yugo que les echó encima mi padre. ¿Qué me aconsejáis que les responda?

Los jóvenes que se habían educado con él le respondieron:

—O sea, que esa gente te ha dicho: «Tu padre nos impuso un yugo pesado; aligéranoslo». Pues diles tú esto: «Mi dedo meñique es más grueso que la cintura de mi padre. Si mi padre os cargó un yugo pesado, yo os aumentaré la carga; que mi padre os castigó con azotes, yo os castigaré con latigazos».

Al tercer día, la fecha señalada por el rey, Jeroboán y todo el pueblo fueron a ver a Roboán. Este les respondió ásperamente; desechó el consejo de los ancianos, y les habló siguiendo el consejo de los jóvenes:

—Si mi padre os impuso un yugo pesado, yo os aumentaré la carga; que mi padre os castigó con azotes, yo os castigaré con latigazos.

De manera que el rey no hizo caso al pueblo, porque era una ocasión buscada por el Señor para que se cumpliese la palabra que Ajías, el de Silo, comunicó a Jeroboán, hijo de Nabat.

Viendo los israelitas que el rey no les hacía caso, le replicaron:

—¿Qué nos repartimos nosotros con David? ¡No heredamos juntos con el hijo de Jesé! ¡A tus tiendas, Israel! ¡Ahora, David, a cuidar de tu casa!

Los de Israel se marcharon a casa; aunque los israelitas que vivían en las poblaciones de Judá siguieron sometidos a Roboán. El rey Roboán envió entonces a Adorán, encargado de las brigadas de trabajadores; pero los israelitas la emprendieron a pedradas con él hasta matarlo, mientras el rey montaba aprisa en su carroza para huir a Jerusalén.

Así fue como se independizó Israel de la casa de David, hasta hoy.

Cuando Israel oyó que Jeroboán había vuelto, mandaron a llamarlo para que fuera a la asamblea, y lo proclamaron rey de Israel. Con la casa de David quedó únicamente la tribu de Judá.

Cuando Roboán llegó a Jerusalén, movilizó ciento ochenta mil soldados de Judá y de la tribu de Benjamín para luchar contra Israel y recuperar el reino para Roboán, hijo de Salomón. Pero Dios dirigió la palabra al profeta Semayas:

—Di a Roboán, hijo de Salomón, rey de Judá, a todo Judá y Benjamín y al resto del pueblo: Así dice el Señor: «No vayáis a luchar contra vuestros hermanos, los israelitas; que cada cual se vuelva a su casa, porque esto ha sucedido por voluntad mía». Obedecieron la palabra del Señor y desistieron de la campaña, como Dios lo ordenaba.

De este modo se formaron dos reinos: el reino de Israel, al norte, formado por diez tribus de Israel, y el pequeño reino de Judá, al sur, con capital en Jerusalén, en el que permanecieron, bajo el gobierno de los descendientes de David, las tribus de Judá y Benjamín.

Sucedieron entonces grandes desgracias. Las diez tribus del norte sufrieron las consecuencias de reyes temibles, que uno tras otro eran asesinados por quienes querían sucederles en el trono. Eran gobernantes despiadados, traicioneros e idólatras. El rey Omri, poderoso y malvado, construyó la ciudad de Samaría, que se convirtió en la capital del reino. Su hijo Ajab, cuando llegó a ser rey, lo superó en crueldad e idolatría, y se casó con una pagana llamada Jezabel, con la que perseguía a todos los adoradores del Dios de Abraham.

72. EL PROFETA ELÍAS

Elías, el tesbita (de Tisbé de Galaad), dijo a Ajab:

—¡Vive el Señor, Dios de Israel, a quien sirvo! En estos años no caerá rocío ni lluvia si yo no lo mando.

Luego el Señor le dirigió la palabra:

—Vete de aquí hacia el Oriente y escóndete junto al torrente Carit, que queda cerca del Jordán. Bebe del torrente y yo mandaré a los cuervos que te lleven allí la comida.

Elías hizo lo que le mandó el Señor y fue a vivir junto al torrente Carit, que queda cerca del Jordán. Los cuervos le llevaban pan por la mañana y carne por la tarde, y bebía del torrente. Pero al cabo del tiempo el torrente se secó, porque no había llovido en la región. Entonces el Señor dirigió la palabra a Elías:

—Anda, vete a Sarepta de Fenicia a vivir allí; yo mandaré a una viuda que te dé la comida.

Elías se puso en camino hacia Sarepta, y al llegar a la entrada del pueblo encontró allí a una viuda recogiendo leña. La llamó y le dijo:

—Por favor, tráeme un poco de agua en un jarro para beber.

Mientras iba a buscarla, Elías le gritó:

—Por favor, tráeme en la mano un trozo de pan.

Ella respondió:

—¡Vive el Señor, tu Dios! No tengo pan; solo me queda un puñado de harina en el jarro y un poco de aceite en la aceitera. Ya ves, estaba recogiendo cuatro astillas: voy a hacer un pan para mí y mi hijo, nos lo comeremos y luego moriremos.

Elías le dijo:

—No temas. Anda a hacer lo que dices, pero primero hazme a mí un panecillo y tráemelo; para ti y tu hijo lo harás después. Porque así dice el Señor, Dios de Israel: «El cántaro de harina no se vaciará, la aceitera de aceite no se agotará, hasta el día en que el Señor envíe la lluvia sobre la tierra».

Ella marchó a hacer lo que le había dicho Elías, y comieron él, ella y su hijo durante mucho tiempo. El cántaro de harina no se vació ni la aceitera se agotó, como lo había dicho el Señor por Elías. Más tarde cayó enfermo el hijo de la dueña de la casa; la enfermedad fue tan grave, que murió. Entonces la mujer dijo a Elías:

—¡No quiero nada contigo, profeta! ¿Has venido a mi casa a recordar mis culpas y matarme a mi hijo?

Elías respondió:

—Dame a tu hijo. Y tomándolo de su regazo, se lo llevó a la habitación de arriba, donde él dormía, y lo acostó en la cama.

Después clamó al Señor:

—Señor, Dios mío, ¿también a esta viuda que me hospeda en su casa la vas a castigar haciéndole morir al hijo?

Luego se echó tres veces sobre el niño, clamando al Señor:

—¡Señor, Dios mío, que resucite este niño!

El Señor escuchó la súplica de Elías, volvió la vida al niño y resucitó. Elías tomó al niño, lo bajó de la habitación y se lo entregó a la madre, diciéndole:

—Aquí tienes a tu hijo vivo.

La mujer dijo a Elías:

—¡Ahora reconozco que eres un profeta y que la palabra del Señor que tú pronuncias se cumple!

73. Elías en el monte Carmelo

Pasó mucho tiempo. El año tercero dirigió el Señor la palabra a Elías:

—Preséntate a Ajab, que voy a mandar lluvia a la tierra.

Elías se puso en camino para presentarse a Ajab. El hambre apretaba en Samaría, y Ajab llamó a Abdías, mayordomo de palacio (Abdías era muy religioso, y cuando Jezabel mataba a los profetas del Señor, él recogió a cien profetas y los escondió en dos cuevas en grupos de cincuenta, proporcionándoles comida y bebida), y le dijo:

—Anda, vamos a recorrer el país, a ver todos los manantiales y arroyos; a lo mejor encontramos pasto para conservar la vida a caballos y mulos sin que tengamos que sacrificar el ganado.

Se dividieron el país: Ajab se fue por su lado y Abdías por el suyo. Y cuando Abdías iba de camino, Elías le salió al encuentro. Al reconocerlo, Abdías cayó rostro en tierra y le dijo:

—Pero ¿eres tú, Elías, mi señor?

Elías respondió:

—Sí. Ve a decirle a tu amo que está aquí Elías.

Abdías respondió:

—¿Qué pecado he cometido para que me entregues a Ajab y me mate? ¡Vive el Señor, tu Dios! No hay país ni reino adonde mi amo no haya enviado gente a buscarte, y cuando le respondían que no estabas, hacía jurar al reino o al país que no te encontraban. ¡Y ahora tú me mandas que vaya a decirle a mi amo que aquí está Elías! Cuando yo me separe de ti, el espíritu del Señor te llevará no sé dónde: yo informo a Ajab, pero luego no te encuentra, y me mata. Y tu servidor respeta al Señor desde joven. ¿No te han contado lo que hice cuando Jezabel mataba a los profetas del Señor? Escondí dos grupos de cincuenta en dos cuevas y les proporcioné comida y bebida. ¡Y ahora tú me mandas que vaya a decirle a mi amo que está aquí Elías! ¡Me matará!

Elías respondió:

—¡Vive el Señor de los ejércitos, a quien sirvo! Hoy me va a ver.

Entonces Abdías fue en busca de Ajab y se lo dijo. Ajab marchó al encuentro de Elías, y al verlo le dijo:

—¿Eres tú, ruina de Israel?

Elías le contestó:

—¡No he arruinado yo a Israel, sino tú y tu familia, por dejar los mandatos del Señor y seguir a los baales[117]! Ahora manda que

---

[117] Baal era un importante dios cananeo, al que adoraban Ajab y Jezabel.

se reúna en torno a mí todo Israel en el monte Carmelo, con los cuatrocientos cincuenta profetas de Baal, comensales de Jezabel.

Ajab despachó órdenes a todo Israel, y los profetas se reunieron en el monte Carmelo. Elías se acercó a la gente y dijo:

—¿Hasta cuándo vais a caminar con muletas? Si el Señor es el verdadero Dios, seguidlo; si lo es Baal, seguid a Baal.

La gente no respondió una palabra. Entonces Elías les dijo:

—He quedado yo solo como profeta del Señor, mientras que los profetas de Baal son cuatrocientos cincuenta. Que nos den dos novillos: vosotros elegid uno, que lo descuarticen y pongan sobre la leña sin prenderle fuego; yo prepararé el otro novillo y lo pondré sobre la leña sin prenderle fuego. Vosotros invocaréis a vuestro dios y yo invocaré al Señor, y el dios que responda enviando fuego, ese es el Dios verdadero.

Toda la gente asintió:

—¡Buena idea!

Elías dijo a los profetas de Baal:

—Elegid un novillo y preparadlo vosotros primero, porque sois más. Luego invocad a vuestro dios, pero sin encender el fuego.

Agarraron el novillo que les dieron, lo prepararon y estuvieron invocando a Baal desde la mañana hasta mediodía:

—¡Baal, respóndenos! —pero no se oía una voz ni una respuesta, mientras brincaban alrededor del altar que habían hecho. Al mediodía, Elías empezó a reírse de ellos:

—¡Gritad más fuerte! Baal es dios, pero estará meditando, o bien ocupado, o estará de viaje. ¡A lo mejor está durmiendo y se despierta!

Entonces gritaron más fuerte, y se hicieron cortaduras, según su costumbre, con cuchillos y punzones, hasta chorrear sangre por todo el cuerpo. Pasado el mediodía, entraron en trance, y así estuvieron hasta la hora de la ofrenda. Pero no se oía una voz, ni una palabra, ni una respuesta. Entonces Elías dijo a la gente:

—¡Acercaos!

Se acercaron todos, y él reconstruyó el altar del Señor, que estaba demolido: tomó doce piedras, una por cada tribu de Jacob (a quien el Señor había dicho: «Te llamarás Israel»); con las piedras levantó un altar en honor del Señor, hizo una zanja[118] alrededor del altar, como para sembrar dos fanegas; apiló la leña, descuartizó el novillo, lo puso sobre la leña y dijo:

—Llenad cuatro cántaros de agua y derramadla sobre la víctima y la leña.

Luego dijo:

—¡Otra vez!

Y lo hicieron otra vez. Añadió:

—¡Otra vez!

Y lo repitieron por tercera vez. El agua corrió alrededor del altar, e incluso la zanja se llenó de agua. Llegada la hora de la ofrenda, el profeta Elías se acercó y oró:

—¡Señor, Dios de Abraham, Isaac e Israel! Que se vea hoy que tú eres el Dios de Israel y yo tu siervo, que he hecho esto por orden tuya. Respóndeme, Señor, respóndeme, para que sepa este pueblo que tú, Señor, eres el Dios verdadero y que eres tú quien les cambiará el corazón.

Entonces el Señor envió un rayo, que abrasó la víctima, la leña, las piedras y el polvo, y secó el agua de la zanja. Al verlo, cayeron todos, exclamando:

—¡El Señor es el Dios verdadero! ¡El Señor es el Dios verdadero!

Elías les dijo:

—Agarrad a los profetas de Baal. Que no escape ninguno.

Los agarraron. Elías los bajó al torrente Quisón y allí los degolló. Elías dijo a Ajab:

---

[118] *Zanja:* excavación larga y estrecha.

—Vete a comer y a beber, que ya se oye el ruido de la lluvia.

Ajab fue a comer y a beber, mientras Elías subía a la cima del Carmelo; allí se encorvó hacia tierra, con el rostro en las rodillas, y ordenó a su criado:

—Sube a otear[119] el mar.

El criado subió, miró y dijo:

—No se ve nada.

Elías ordenó:

—Vuelve otra vez.

El criado volvió siete veces, y a la séptima dijo:

—Sube del mar una nube como la palma de una mano.

Entonces Elías mandó:

—Vete a decirle a Ajab que enganche y se vaya, no le pille la lluvia.

En un instante se encapotó el cielo con nubes empujadas por el viento y empezó a diluviar. Ajab montó en el carro y marchó a Yezrael. Y Elías, con la fuerza del Señor, se ciñó y fue corriendo delante de Ajab, hasta la entrada de Yezrael.

74. ELÍAS EN EL MONTE HOREB

Ajab contó a Jezabel lo que había hecho Elías, cómo había pasado a cuchillo a los profetas. Entonces Jezabel mandó a Elías este recado:

—Que los dioses me castiguen si mañana a estas horas no hago contigo lo mismo que has hecho tú con cualquiera de ellos.

Elías temió y emprendió la marcha para salvar la vida. Llegó a Berseba de Judá y dejó allí a su criado. Él continuó por el desierto

---

[119] *Otear:* observar desde un lugar alto lo que está abajo.

una jornada de camino y al final se sentó bajo una retama y se deseó la muerte:

—¡Basta, Señor! ¡Quítame la vida, que yo no valgo más que mis padres!

Se echó bajo la retama y se durmió. De pronto un ángel le tocó y le dijo:

—¡Levántate, come!

Miró Elías y vio a su cabecera un pan cocido sobre piedras y un jarro de agua. Comió, bebió y se volvió a echar. Pero el ángel del Señor le volvió a tocar y le dijo:

—¡Levántate, come! Que el camino es superior a tus fuerzas.

Elías se levantó, comió y bebió, y con la fuerza de aquel alimento caminó cuarenta días y cuarenta noches hasta el Horeb, el monte de Dios. Allí se metió en una cueva, donde pasó la noche. Y el Señor le dirigió la palabra:

—¿Qué haces aquí, Elías?

Respondió:

—Me consume el celo por el Señor, Dios de los ejércitos, porque los israelitas han abandonado tu alianza, han derruido tus altares y asesinado a tus profetas; solo quedo yo, y me buscan para matarme.

El Señor le dijo:

—Sal y ponte de pie en el monte ante el Señor. ¡El Señor va a pasar!

Vino un huracán tan violento, que descuajaba los montes y hacía trizas las peñas delante del Señor: pero el Señor no estaba en el viento. Después del viento vino un terremoto; pero el Señor no estaba en el terremoto. Después del terremoto vino un fuego; pero el Señor no estaba en el fuego. Después del fuego se oyó una brisa tenue; al sentirla, Elías se tapó el rostro con el manto, salió afuera y se puso en pie a la entrada de la cueva. Entonces oyó una voz que le decía:

—¿Qué haces aquí, Elías?

Respondió:

—Me consume el celo por el Señor, Dios de los ejércitos, porque los israelitas han abandonado tu alianza, han derruido tus altares y asesinado a tus profetas; solo quedo yo, y me buscan para matarme.

El Señor le dijo:

—Desanda tu camino hacia el desierto de Damasco, y cuando llegues, unge rey de Siria a Jazael, rey de Israel, a Jehú, hijo de Nimsí, y profeta sucesor de ti a Eliseo, hijo de Safar, de Abel Mejolá. Al que escape de la espada de Jazael lo matará Jehú, y al que escape de la espada de Jehú lo matará Eliseo. Pero yo me reservaré en Israel siete mil hombres: las rodillas que no se han doblado ante Baal, los labios que no lo han besado.

Elías marchó de allí y encontró a Eliseo, hijo de Safar, arando con doce yuntas[120] en fila, él con la última. Elías pasó junto a él y le echó encima el manto. Entonces Eliseo, dejando los bueyes, corrió tras Elías y le pidió:

—Déjame decir adiós a mis padres, luego vuelvo y te sigo.

Elías le dijo:

—Vete, pero vuelve. ¿Quién te lo impide?

Eliseo dio la vuelta, agarró la yunta de bueyes y los ofreció en sacrificio; aprovechó los aperos[121] para cocer la carne y convidó a su gente. Luego se levantó, marchó tras Elías y se puso a su servicio.

---

[120] *Yunta:* par de bueyes que sirven en la labor del campo.

[121] *Aperos:* conjunto de instrumentos y demás cosas necesarias para la labranza.

75. ELÍAS, EN EL CIELO

Cuando el Señor iba a arrebatar a Elías al cielo en el torbellino, Elías y Eliseo se marcharon de Guilgal. Elías dijo a Eliseo:

—Quédate aquí, porque el Señor me envía solo hasta Betel.

Eliseo respondió:

—¡Vive Dios! Por tu vida, no te dejaré.

Bajaron a Betel, y la comunidad de profetas de Betel salió a recibir a Eliseo. Le dijeron:

—¿Ya sabes que el Señor te va a dejar hoy sin jefe y maestro?

Él respondió:

—Claro que lo sé. ¡Callaos!

Elías dijo a Eliseo:

—Quédate aquí, porque el Señor me envía solo hasta Jericó.

Eliseo respondió:

—¡Vive Dios! Por tu vida, no te dejaré.

Llegaron a Jericó, y la comunidad de profetas de Jericó se acercó a Eliseo y le dijeron:

—¿Ya sabes que el Señor te va a dejar hoy sin jefe y maestro?

Él respondió:

—Claro que lo sé. ¡Callaos!

Elías dijo a Eliseo:

—Quédate aquí, porque el Señor me envía solo hasta el Jordán.

Eliseo respondió:

—¡Vive Dios! Por tu vida, no te dejaré. Y los dos siguieron caminando.

También marcharon cincuenta hombres de la comunidad de profetas, y se pararon frente a ellos, a cierta distancia. Los dos se detuvieron junto al Jordán; Elías tomó su manto, lo enrolló, golpeó el agua y el agua se dividió por medio, y así pasaron ambos a pie. Mientras pasaban el río, dijo Elías a Eliseo:

—Pídeme lo que quieras antes de que me aparten de tu lado.

Eliseo pidió:

—Déjame en herencia dos tercios de tu espíritu.

Elías comentó:

—¡No pides nada! Si logras verme cuando me aparten de tu lado, lo tendrás; si no me ves, no lo tendrás.

Mientras ellos seguían conversando por el camino, los separó un carro de fuego con caballos de fuego, y Elías subió al cielo en el torbellino. Eliseo lo miraba y gritaba:

—¡Padre mío, padre mío, carro y auriga[122] de Israel!

Y ya no lo vio más. Entonces agarró su túnica y la rasgó en dos; luego recogió el manto que se le había caído a Elías, se volvió y se detuvo a la orilla del Jordán, y agarrando el manto de Elías, golpeó el agua, diciendo:

—¿Dónde está el Dios de Elías, dónde?

Golpeó el agua, el agua se dividió por medio y Eliseo cruzó. Al verlo los hermanos profetas que estaban enfrente, comentaron:

—¡Se ha posado sobre Eliseo el espíritu de Elías!

76. ELISEO SALVA A ISRAEL

Eliseo continuó la labor del profeta. Tenía poderes curativos, por lo que sanó a algunos enfermos de terribles enfermedades, como la lepra. Y realizó también milagros extraordinarios: resucitó a un niño muerto, multiplicó alimentos para dar de comer a muchas personas en un momento de escasez.

---

[122] *Auriga:* hombre que gobierna las caballerías de un carruaje.

El rey de Siria estaba en guerra con Israel, y en un consejo de ministros determinó:

—Vamos a tender una emboscada en tal sitio.

Entonces el profeta mandó este recado al rey de Israel:

—Cuidado con pasar por tal sitio, porque los sirios están allí emboscados.

El rey de Israel envió a reconocer el sitio indicado por el profeta. Eliseo le avisaba y él tomaba precauciones. Y esto no una ni dos veces.

El rey de Siria se alarmó ante esto, convocó a sus ministros y les dijo:

—Decidme quién de los nuestros informa al rey de Israel.

Uno de los ministros respondió:

—No es eso, majestad. Eliseo, el profeta de Israel, es quien comunica a su rey las palabras que pronuncias en tu alcoba.

Entonces el rey ordenó:

—Id a ver dónde está, y enviaré a prenderlo.

Le avisaron:

—Está en Dotan.

El rey mandó allá caballería y carros y un fuerte contingente de tropas. Llegaron de noche y cercaron la ciudad. Cuando el profeta madrugó al día siguiente para salir, se encontró con que un ejército cercaba la ciudad con caballería y carros. El criado dijo a Eliseo:

—Maestro, ¿qué hacemos?

Eliseo respondió:

—No temas. Los que están con nosotros son más que ellos.

Luego rezó:

—Señor, ábrele los ojos para que vea.

El Señor le abrió los ojos al criado y vio el monte lleno de caballería y carros de fuego en torno a Eliseo. Cuando los sirios bajaron hacia él, Eliseo oró al Señor:

—¡Deslúmbralos!

El Señor los deslumbró, como pedía Eliseo, y este les dijo:

—No es este el camino ni es esta la ciudad. Seguidme, yo os llevaré hasta el hombre que buscáis.

Y se los llevó a Samaría. Cuando ya habían entrado en Samaría, Eliseo rezó:

—Señor, ábreles los ojos para que vean.

El Señor les abrió los ojos y vieron que estaban en mitad de Samaría. El rey de Israel, al verlos, dijo a Eliseo:

—Padre, ¿los mato?

Respondió:

—No los mates. ¿Vas a matar a los que no has hecho prisioneros con tu espada y tu arco? Sírveles pan y agua, que coman y beban y se vuelvan a su amo.

El rey les preparó un gran banquete. Comieron y bebieron; luego los despidió y se volvieron a su amo. Las guerrillas sirias no volvieron a entrar en territorio israelita.

77. Amós

A lo largo de aquellos años Dios envió numerosos profetas, tanto al reino de Israel como al de Judá, que clamaron contra los pecados del pueblo y sus gobernantes y alertaron de las trágicas consecuencias que tendrían. Los profetas, a través de los que Dios hacía llegar su mensaje, denunciaron la injusticia, la idolatría, la hipocresía religiosa y los abusos de poder. Amós fue uno de ellos: hablaba a los gobernantes de Israel, que habían prosperado económicamente, pero eran corruptos y no practicaban la justicia. Estas son algunas de sus palabras:

¡**A**y de los que ansían el día del Señor!
¿De qué os servirá el día del Señor
si es tenebroso y sin luz?
Como cuando huye uno del león
y topa con el oso,
o se mete en casa, apoya la mano en la pared
y le pica la culebra.
¿No es el día del Señor tenebroso y sin luz,
oscuridad sin resplandor?
Detesto y rehúso vuestras fiestas,
no me aplacan
vuestras reuniones litúrgicas;
por muchos holocaustos y ofrendas
que me traigáis,
no los aceptaré ni miraré
vuestras víctimas cebadas.
Retirad de mi presencia
el barullo de los cantos,
no quiero oír la música de la cítara;
que fluya como el agua el derecho
y la justicia como arroyo perenne.
¿Es que en el desierto,
durante cuarenta años,
me traíais ofrendas y sacrificios,
casa de Israel?
Tendréis que transportar a Sacut y Queván[123],
imágenes de vuestros dioses astrales,
que vosotros os fabricasteis,
cuando os destierre más allá de Damasco.
Dice el Señor, Dios de los Ejércitos.

---

[123] Divinidades astrales asirias.

78. Destrucción del reino de Israel

Después de Ajab, gobernaron en Israel otros doce reyes, pero ninguno de ellos pensó en su pueblo ni fue fiel a Dios: todos seguían entregados a sus propios intereses y practicaban la idolatría.

Se sucedieron a lo largo de aquellos años varias guerras contra los sirios, aunque los reyes de Israel consiguieron llegar a un acuerdo con ellos. Sin embargo, después invadió la región el temible pueblo asirio, cuyo ejército conquistó Samaría y deportó o asesinó a casi todos los habitantes del país. Las diez tribus de Israel nunca consiguieron volver a unirse y sus descendientes se perdieron entre los otros pueblos. A las tierras del reino de Israel, ahora prácticamente desiertas, llegaron algunos grupos de paganos, que se instalaron allí con los pocos israelitas que habían quedado. Desde entonces se les llama samaritanos.

79. Reyes de Judá

¿Y qué sucedió a lo largo de este tiempo en el pequeño reino del sur, habitado por las tribus de Judá y Benjamín? En el reino de Judá, con capital en Jerusalén, siguieron gobernando los descendientes de la casa de David (legítimos herederos según las órdenes de Dios) y se continuó adorando a Dios en el templo de Jerusalén, construido por Salomón.

Sin embargo, los judíos y los benjaminitas no fueron mucho mejores ni más felices que sus hermanos del norte. Les gobernaron veinte reyes, muchos de los cuales también fueron malvados y cayeron en la idolatría. Aunque podemos hacer algunas excepciones. Hemos de citar al rey Josafat, que fue fiel a Dios y trabajó por el bien de su pueblo. Sin embargo, sus descendientes volvieron a la traición y la idolatría, construyeron altares a otros dioses y perdieron el libro de la ley.

El peor de estos reyes idólatras fue Ajaz, pero su hijo Ezequías se mantuvo fiel al Dios de Israel, reconstruyó el templo y acabó con los altares de los ídolos. Le tocó gobernar en la misma época en que los asirios, la gran potencia económica y militar de la época, deportaron a las diez tribus del norte. De hecho, el rey Senaquerib de Asiria también quiso conquistar Jerusalén y destruir el reino de Judá, pero Ezequías se encomendó a Dios, rezó por la salvación de su pueblo, y el ángel del Señor, esa misma noche, hirió a las fuerzas asirias en su campamento y no permitió que entraran en Jerusalén.

Josías, uno de los descendientes de Ezequías, fue también un gran gobernante. Durante su reinado se recuperó el libro de la ley. Sin embargo, sus hijos Joacaz, Joaquín y Joconías volvieron a caer en el pecado.

En aquella época Nabucodonosor, rey de Babilonia, había construido un gran imperio que acabó con la hegemonía de los asirios y comenzó a acechar al reino de Judá. En un primer momento los caldeos[124] deportaron a diez mil hombres distinguidos y ricos junto con el rey y su madre, a todos los hombres que fueran aptos para la guerra, a los herreros y a los carpinteros, y obligaron al país a pagar un tributo. Los caldeos dejaron como rey de Judá a Sedecías, que los traicionó y buscó la protección de los egipcios. Ante semejante traición, Nabucodonosor atacó Jerusalén.

80. Jeremías en el Templo

El profeta Jeremías pronunció oráculos muy duros en contra de los reyes de Judá, de los sacerdotes del Templo, y denunció amargamente los pecados del pueblo. Por todo ello fue perseguido. Era ciertamente muy difícil y arriesgada la misión que le había sido encomendada.

---

[124] *Caldeos:* dinastía que reinaba en Babilonia.

Palabras que el Señor dirigió a Jeremías: «Ponte a la puerta del Templo y proclama allí: "Escuchad, judíos, la palabra del Señor, los que entráis por estas puertas a adorar al Señor, así dice el Señor de los ejércitos, Dios de Israel:

Enmendad vuestra conducta y vuestras acciones,
y habitaré con vosotros en este lugar;
no os hagáis ilusiones
con razones falsas, repitiendo:
"El Templo del Señor, el Templo del Señor,
el Templo del Señor".
Si enmendáis vuestra conducta
y vuestras acciones,
si juzgáis rectamente los pleitos,
si no explotáis al emigrante, al huérfano y a la viuda,
si no derramáis sangre inocente en este lugar,
si no seguís a dioses extranjeros,
para vuestro mal,
entonces habitaré con vosotros en este lugar,
en la tierra que di a vuestros padres,
desde antiguo y para siempre.
Os hacéis ilusiones
con razones falsas, que no sirven:
¿de modo que robáis, matáis,
cometéis adulterio,
juráis en falso, quemáis incienso a Baal,
seguís a dioses extranjeros y desconocidos,
y después entráis a presentaros ante mí
en este templo que lleva mi nombre,
y decís: "Estamos salvados",
para seguir cometiendo tales abominaciones?

¿Creéis que es una cueva de bandidos
este templo que lleva mi nombre?».

Atención, que yo lo he visto —oráculo del Señor—.

81. EL PROFETA ISAÍAS Y LA ESPERANZA MESIÁNICA

Los profetas, además de denunciar el pecado y las injusticias, trataban de infundir esperanza en el pueblo: esperanza en que los tiempos cambiarían, los hombres se reconciliarían con Dios y podrían vivir para siempre en paz. En esta época surgió la idea de que un día llegaría un Mesías, un salvador descendiente de la casa de David, que conduciría al pueblo a la felicidad y construiría un reino libre de pecado y sufrimientos.

Pero retoñará el tocón[125] de Jesé[126],
de su cepa brotará un vástago,
sobre el cual se posará el espíritu del Señor:
espíritu de sensatez e inteligencia,
espíritu de valor y de prudencia,
espíritu de conocimiento y respeto del Señor.
No juzgará por apariencias
ni sentenciará solo de oídas;
juzgará con justicia a los desvalidos,
sentenciará con rectitud a los oprimidos;
ejecutará al violento con el cetro de su sentencia
y con su aliento dará muerte al culpable.

---

[125] *Tocón:* parte del tronco de un árbol que queda unida a la raíz cuando lo cortan por el pie.
[126] Jesé era el padre de David.

Se terciará como banda la justicia
y se ceñirá como fajín la verdad.
Entonces el lobo y el cordero irán juntos,
y la pantera se tumbará con el cabrito,
el novillo y el león engordarán juntos;
un chiquillo los pastorea;
la vaca pastará con el oso,
sus crías se tumbarán juntas,
el león comerá paja como el buey.
El niño jugará en la hura[127] del áspid[128],
la criatura meterá la mano en el escondrijo de la serpiente.
No harán daño ni estrago por todo mi Monte Santo,
porque se llenará el país de conocimiento del Señor,
como colman las aguas el mar.

82. Caída de Jerusalén

Pero el año noveno de su reinado, el día diez del décimo mes, Nabucodonosor, rey de Babilonia, vino a Jerusalén con todo su ejército, acampó frente a ella y construyó torres de asalto alrededor. La ciudad quedó sitiada hasta el año once del reinado de Sedecías, el día noveno del mes cuarto.

El hambre apretó en la ciudad, y no había pan para la población. Se abrió brecha en la ciudad, y los soldados huyeron de noche, por la puerta entre las dos murallas, junto a los jardines reales, mientras los caldeos rodeaban la ciudad, y se marcharon por el camino de la estepa.

El ejército caldeo persiguió al rey; lo alcanzaron en la estepa de Jericó, mientras sus tropas se dispersaban, abandonándolo. Apresa-

---

[127] *Hura:* agujero pequeño o madriguera.
[128] *Áspid:* víbora.

ron al rey, y se lo llevaron al rey de Babilonia, que estaba en Ribla, y lo procesó. A los hijos de Sedecías los hizo ajusticiar ante su vista; a Sedecías lo cegó, le echó cadenas de bronce y lo llevó a Babilonia.

El día primero del quinto mes (que corresponde al año diecinueve del reinado de Nabucodonosor en Babilonia) llegó a Jerusalén Nabusardán, jefe de la guardia, funcionario del rey de Babilonia. Incendió el Templo, el palacio real y las casas de Jerusalén, y puso fuego a todos los palacios.

El ejército caldeo, a las órdenes del jefe de la guardia, derribó las murallas que rodeaban a Jerusalén. Nabusardán, jefe de la guardia, se llevó cautivos al resto del pueblo que había quedado en la ciudad, a los que se habían pasado al rey de Babilonia y al resto de la plebe. De la clase baja dejó algunos, como viñadores y hortelanos.

Los caldeos rompieron las columnas de bronce, los pedestales y el depósito de bronce que había en el Templo, para llevarse el bronce a Babilonia. También llevaron las ollas, palas, cuchillos, bandejas y todos los utensilios de bronce que servían para el culto. El jefe de la guardia tomó los braseros e hisopos[129], y todo lo que había, en dos lotes, de oro y de plata, y las dos columnas, el depósito y los pedestales que había hecho Salomón para el Templo (imposible calcular lo que pesaba el bronce de aquellos objetos, cada columna medía nueve metros y estaba rematada por un capitel de bronce de metro y medio de altura, adornado con trenzados y granadas alrededor, todo de bronce).

El jefe de la guardia prendió al sumo sacerdote, Sedayas, al vicario Sofonías y a los tres porteros; apresó en la ciudad a un dignatario jefe del ejército y a cinco hombres del servicio personal del rey, que se encontraban en la ciudad; al secretario del general

---

[129] *Hisopo:* utensilio usado para dar o esparcir agua bendita.

en jefe, que había hecho la leva[130] de los terratenientes, y a sesenta ciudadanos que se encontraban en la ciudad. Nabusardán, jefe de la guardia, los apresó y se los llevó al rey de Babilonia, a Ribla. El rey de Babilonia los hizo ejecutar en Ribla, provincia de Jamat. Así marchó Judá al destierro.

La mayor parte de los habitantes de Judá fueron deportados a Babilonia, especialmente los más cultos y poderosos. En Jerusalén solo quedaron algunos campesinos. Los judíos, en el destierro, se arrepintieron de sus pecados: lloraban, ayunaban y soñaban con poder volver a su amada Jerusalén, a servir a su Dios. Durante los años que duró el exilio no se dispersaron, sino que se mantuvieron juntos, como un solo pueblo.

83. CANTO DEL DESTIERRO

Junto a los canales de Babilonia
nos sentamos y lloramos
con nostalgia de Sión.
En los sauces de su recinto
colgábamos nuestras cítaras.
Allí los que nos deportaron
nos invitaban a cantar:
nuestros opresores a divertirlos:
«¡Cantadnos un cantar de Sión!».
¡Cómo cantar un canto del Señor
en tierra extranjera!
Si me olvido de ti, Jerusalén,

---

[130] *Leva:* recluta de gente para el servicio militar.

se me olvide la diestra,
que se me pegue la lengua al paladar
si no te recuerdo,
si no exalto a Jerusalén
como colmo de mi alegría.

84. ISAÍAS CONSUELA AL PUEBLO DESTERRADO

Un nuevo profeta llamado Isaías fue enviado por Dios para consolar e infundir ánimo en su pueblo, para que los judíos no perdieran la esperanza de regresar a Jerusalén y encontrar allí la felicidad. Su principal anuncio fue que Dios no los había olvidado.

Consolad, consolad a mi pueblo, dice vuestro Dios:

Los pobres y los indigentes
buscan agua, y no la hay;
su lengua está reseca de sed.
Yo, el Señor, les responderé;
yo, el Dios de Israel, no los abandonaré.
Alumbraré ríos en las dunas;
en medio de las vaguadas, manantiales;
transformaré el desierto en estanque
y el yermo en fuentes de agua;
pondré en el desierto cedros,
y acacias, y mirtos, y olivos;
plantaré en la estepa cipreses,
junto con olmos y alerces.
Para que vean y conozcan,
reflexionen y aprendan de una vez
que la mano del Señor lo ha hecho,
que el Santo de Israel lo ha creado.

85. LA VISIÓN DE LOS HUESOS DEL PROFETA EZEQUIEL

Ezequiel fue un profeta que tenía impresionantes visiones, a través de las que Dios le revelaba enigmas y secretos.

La mano del Señor se posó sobre mí y el Señor me llevó en espíritu, dejándome en un valle todo lleno de huesos. Me los hizo pasar revista: eran muchísimos los que había en la cuenca del valle; estaban calcinados. Entonces me dijo:

—Hijo de Adán, ¿podrán revivir esos huesos?

Contesté:

—Tú lo sabes, Señor.

Me ordenó:

—Conjura así a esos huesos: «Huesos calcinados, escuchad la palabra del Señor. Esto dice el Señor a esos huesos: "Yo os voy a infundir espíritu para que reviváis. Os injertaré tendones, os haré criar carne; tensaré sobre vosotros la piel y os infundiré espíritu para que reviváis. Así sabréis que yo soy el Señor"».

Pronuncié el conjuro que se me había mandado, y mientras lo pronunciaba, resonó un trueno, luego hubo un terremoto y los huesos se ensamblaron, hueso con hueso.

Vi que habían prendido en ellos los tendones, que habían criado carne y tenían la piel tensa; pero no tenían aliento. Entonces me dijo:

—Conjura al aliento, conjura, hijo de Adán, diciéndole al aliento: «Esto dice el Señor: "Ven, aliento, desde los cuatro vientos y sopla en estos cadáveres para que revivan"».

Pronuncié el conjuro que se me había mandado. Penetró en ellos el aliento, revivieron y se pusieron en pie: era una muchedumbre inmensa.

Entonces me dijo:

—Hijo de Adán, esos huesos son toda la casa de Israel. Ahí los tienes diciendo: «Nuestros huesos están calcinados, nuestra esperanza se ha desvanecido; estamos perdidos». Por eso profetiza diciéndoles: «Esto dice el Señor: "Yo voy a abrir vuestros sepulcros, os voy a sacar de vuestros sepulcros, pueblo mío, y os voy a llevar a la tierra de Israel. Sabréis que yo soy el Señor cuando abra vuestros sepulcros, cuando os saque de vuestros sepulcros, pueblo mío. Infundiré mi espíritu en vosotros para que reviváis, os estableceré en vuestra tierra y sabréis que yo, el Señor, lo digo y lo hago"» —oráculo del Señor—.

86. DANIEL EN BABILONIA[131]

Algunos judíos llegaron a conseguir el favor de los babilonios, como le había sucedido a José en Egipto. Este fue el caso del profeta Daniel:

El rey de Babilonia ordenó a Aspenaz, jefe de eunucos, seleccionar algunos israelitas de sangre real y de la nobleza, jóvenes, perfectamente sanos, de buen tipo, bien formados en la sabiduría, cultos e inteligentes y aptos para servir en palacio, y ordenó que les enseñasen la lengua y literatura caldeas. Cada día el rey les pasaría una ración de comida y de vino de la mesa real. Su educación duraría tres años, al cabo de los cuales pasarían a servir al rey. Entre ellos había unos judíos: Daniel, Ananías,

---

[131] El libro de Daniel se compuso en el siglo II a.C., en época de los macabeos, pero la acción del relato se sitúa en el momento del exilio en Babilonia. En el texto aparecen numerosas inexactitudes históricas, que señalaremos.

Misael y Azarías. El jefe de eunucos les cambió los nombres, llamando a Daniel Belsazar; a Ananías, Sidrac; a Misael, Misac, y a Azarías, Abdénago.

Daniel hizo propósito de no contaminarse con los manjares y el vino de la mesa real, y pidió al jefe de eunucos que le dispensase de esa contaminación[132]. El jefe de eunucos, movido por Dios, se compadeció de Daniel y le dijo:

—Tengo miedo al rey, mi señor, que os ha asignado la ración de comida y bebida; si os ve más flacos que vuestros compañeros, me juego la cabeza.

Daniel dijo al guardia que el jefe de eunucos había designado para cuidarle a él, a Ananías, a Misael y a Azarías:

—Haz una prueba con nosotros durante diez días: que nos den legumbres para comer y agua para beber. Compara después nuestro aspecto con el de los jóvenes que comen de la mesa real y trátanos luego según el resultado.

Aceptó la propuesta e hizo la prueba durante diez días. Al acabar tenían mejor aspecto y estaban más gordos que los jóvenes que comían de la mesa real. Así que les retiró la ración de comida y de vino y les dio legumbres.

Dios les concedió a los cuatro un conocimiento profundo de todos los libros del saber. Daniel sabía además interpretar visiones y sueños.

Al cumplirse el plazo señalado por el rey, el jefe de eunucos se los presentó a Nabucodonosor. Después de conversar con ellos, el

---

[132] Los israelitas debían seguir una serie de normas especiales para cocinar, mezclar y servir los alimentos, además de abstenerse de comer ciertas cosas. Por eso Daniel rechaza la comida de los egipcios. Hoy en día los judíos siguen conservando prescripciones alimentarias.

rey no encontró ninguno como Daniel, Ananías, Misael y Azarías, y los tomó a su servicio. Y en todas las cuestiones y problemas que el rey les proponía, lo hacían diez veces mejor que todos los magos y adivinos de todo el reino. Daniel estuvo en palacio hasta el año primero del reinado de Ciro[133].

El año segundo de su reinado, Nabucodonosor tuvo un sueño; se sobresaltó y no pudo seguir durmiendo. Mandó llamar a los magos, astrólogos, agoreros y adivinos para que le explicasen el sueño. Cuando llegaron a su presencia, el rey les dijo:

—He tenido un sueño que me ha sobresaltado y quiero saber lo que significa.

Respondieron los adivinos:

—¡Viva el rey eternamente! Cuente su majestad el sueño y nosotros explicaremos su sentido.

El rey les dijo:

—¡Ordeno y mando! Si no me decís el sueño y su interpretación, os harán pedazos y demolerán vuestras casas; en cambio, si me explicáis el sueño y su interpretación, os colmaré de dones, regalos y honores. Por tanto, decidme el sueño y su interpretación.

Ellos replicaron:

—Majestad, cuéntanos el sueño y explicaremos su sentido.

El rey repuso:

—Está claro que intentáis ganar tiempo, sabiendo que he ordenado que, si no me contáis el sueño, os tocará a todos una misma sentencia. Porque os habéis conchabado para contarme mentiras y embustes mientras llega un cambio de situación. Así que contadme el sueño y me convenceré de que sabéis interpretarlo.

Los adivinos contestaron al rey:

---

[133] Ciro fue el rey de Persia que permitió a los judíos regresar a su tierra.

—No hay un hombre en la tierra que pueda decir lo que el rey pide; ningún rey ni príncipe ha exigido cosa semejante a magos, astrólogos o adivinos. Lo que el rey exige es sobrehumano; solo los dioses, que no habitan con los mortales, pueden decírselo al rey.

Al oírlo, el rey se enfureció y mandó acabar con todos los sabios de Babilonia. Y decretó que los sabios fueran ejecutados. Y fueron a buscar a Daniel y a sus compañeros para ajusticiarlos. Cuando Arioc, jefe de la guardia real, se dirigía a ejecutar a los sabios, Daniel aconsejó tener prudencia y preguntó al funcionario real:

—¿Por qué ha dado el rey un decreto tan severo?

Arioc le explicó todo el asunto, y Daniel se dirigió al rey para pedirle un poco de tiempo para explicarle el sueño. Daniel volvió a casa y contó todo a sus compañeros, Ananías, Azarías y Misael, y les encargó que invocasen la misericordia del Dios del cielo para que les revelase el secreto y no tuvieran que perecer Daniel y sus compañeros con los demás sabios de Babilonia.

En una visión nocturna, Daniel tuvo la revelación del secreto, y bendijo al Dios del cielo, diciendo: «Bendito sea el nombre de Dios por los siglos de los siglos. Él posee la sabiduría y el poder, él cambia tiempos y estaciones, destrona y entroniza a los reyes. Él da sabiduría a los sabios. Tú, rey, viste una visión: una estatua majestuosa, una estatua gigantesca y de un brillo extraordinario; su aspecto era impresionante. Tenía la cabeza de oro fino, el pecho y los brazos de plata, el vientre y los muslos de bronce, las piernas de hierro y los pies de hierro mezclado con barro. En tu visión una piedra se desprendió sin intervención humana, chocó con los pies de hierro y barro de la estatua y la hizo pedazos. Del golpe se hicieron pedazos el hierro y el barro, el bronce, la plata y el oro, triturados como tamo[134] de una era en verano, que el vien-

---

[134] *Tamo:* polvo o paja muy menuda de varias semillas trilladas.

to arrebata y desaparece sin dejar rastro. Y la piedra que deshizo la estatua creció hasta convertirse en una montaña enorme que ocupaba toda la tierra.

Este era el sueño; ahora explicaremos al rey su sentido: tú, majestad, rey de reyes, a quien el Dios del cielo ha concedido el reino y el poder, el dominio y la gloria, a quien ha dado poder sobre los hombres dondequiera que vivan, sobre las fieras agrestes y las aves del cielo, para que reines sobre ellos, tú eres la cabeza de oro. Te sucederá un reino de plata, menos poderoso. Después un tercer reino, de bronce, que dominará todo el orbe. Vendrá después un cuarto reino, fuerte como el hierro. Como el hierro destroza y machaca todo, así destrozará y triturará sobre todos. Los pies y los dedos que viste, de hierro mezclado con barro de alfarero, representan un reino dividido; conservará algo del vigor del hierro, porque viste hierro mezclado con arcilla. Los dedos de los pies, de hierro y barro, son un reino a la vez poderoso y débil. Como viste el hierro mezclado con la arcilla, así se mezclarán los linajes, pero no llegarán a fundirse, lo mismo que no se puede alear el hierro con el barro. Durante esos reinados, el Dios del cielo suscitará un reino que nunca será destruido ni su dominio pasará a otro, sino que destruirá y acabará con todos los demás reinos, pero él durará por siempre; eso significa la piedra que viste desprendida del monte sin intervención humana y que destrozó el barro, el hierro, el bronce, la plata y el oro. Este es el destino que el Dios poderoso comunica a su majestad. El sueño tiene sentido, la interpretación es cierta»[135].

---

[135] El sueño es una alegoría histórica, y los imperios a los que se refiere Daniel son el imperio babilonio, el medo-persa, el helenístico de Alejandro Magno y el de los lágicas y seléucidas. Daniel se presenta como adivino del futuro, pero hay que tener en

Entonces Nabucodonosor se postró en tierra rindiendo homenaje a Daniel y mandó que le ofrecieran sacrificios y oblaciones. El rey dijo a Daniel:

—Sin duda que tu Dios es Dios de dioses y Señor de reyes; él revela los secretos, puesto que tú fuiste capaz de explicar este secreto.

Después el rey colmó a Daniel de honores y riquezas, lo nombró gobernador de la provincia de Babilonia y jefe de todos los sabios de Babilonia. A instancias de Daniel, el rey puso a Sidrac, Misac y Abdénago al frente de la provincia de Babilonia, mientras que Daniel quedó en la corte.

87. DANIEL EN LA CORTE DE BALTASAR Y DARÍO

El rey Baltasar[136] ofreció un banquete a mil nobles del reino, y se puso a beber delante de todos. Después de probar el vino, mandó traer los vasos de oro y plata que su padre, Nabucodonosor, había robado en el templo de Jerusalén, para que bebiesen en ellos el rey y los nobles, sus mujeres y concubinas. Cuando trajeron los vasos de oro que habían robado en el Templo de Jerusalén brindaron con ellos el rey y sus nobles, sus mujeres y concubinas.

cuenta que este relato, aunque se sitúa narrativamente durante el exilio de Babilonia y el imperio de Nabucodonosor, fue escrita en realidad siglos más tarde, cuando ya se habían sucedido tales imperios.

[136] Hay un salto temporal respecto al fragmento anterior y esta escena se desarrolla en la época del rey Baltasar, al que se presenta como hijo y sucesor de Nabucodonosor, aunque esto no se corresponde con la realidad histórica.

Apurando el vino, alababan a los dioses de oro y plata, de bronce y hierro, de piedra y madera.

De repente aparecieron unos dedos de mano humana escribiendo sobre el revoco[137] del muro del palacio, frente al candelabro, y el rey veía cómo escribían los dedos. Entonces su rostro palideció, la mente se le turbó, le faltaron las fuerzas, las rodillas le entrechocaban. A gritos mandó que vinieran los astrólogos, magos y adivinos, y dijo a los sabios de Babilonia:

—El que lea y me interprete ese escrito se vestirá de púrpura, llevará un collar de oro y ocupará el tercer puesto en mi reino.

Acudieron todos los sabios del reino, pero no pudieron leer lo escrito ni explicar al rey su sentido. Entonces el rey Baltasar quedó consternado y palideció y sus nobles estaban perplejos. Al saber lo que le ocurría al rey y a los nobles, la reina entró en la sala del banquete y dijo:

—¡Viva siempre el rey! No te turbes ni palidezcas. En el reino hay un hombre a quien Dios ha concedido espíritu de profecía. En el reinado de tu padre demostró poseer inteligencia, prudencia y un saber sobrehumano. Tu padre, el rey Nabucodonosor, lo nombró jefe de los magos, astrólogos, agoreros y adivinos, porque demostró tener un don extraordinario de ciencia y de penetración para interpretar sueños, aclarar enigmas y resolver problemas. Se trata de Daniel, a quien el rey puso el nombre de Belsazar. Que llamen a Daniel y nos dará la interpretación.

Cuando trajeron a Daniel ante el rey, este le preguntó:

—¿Eres tú Daniel, uno de los judíos desterrados que trajo de Judea el rey, mi padre? Me han dicho que posees espíritu de profecía, inteligencia, prudencia y un saber extraordinario. Aquí me han traído los sabios y los astrólogos para que leyeran el escrito y me expli-

---

[137] *Revoco*: capa o mezcla de cal y arena que se pone sobre la fachada de la casa.

caran su sentido, pero han sido incapaces de hacerlo. Me han dicho que tú puedes interpretar sueños y resolver problemas; pues bien, si logras leer lo escrito y explicarme su sentido, te vestirás de púrpura, llevarás un collar de oro y ocuparás el tercer puesto en mi reino.

Entonces Daniel habló así al rey:

—Quédate con tus dones y da a otro tus regalos. Yo leeré al rey lo escrito y le explicaré su sentido. «Majestad: el Dios Altísimo concedió imperio y poder, gloria y honor a tu padre, Nabucodonosor. Y por aquel poder recibido, todos los pueblos, naciones y lenguas lo temieron y respetaron. Tenía poder sobre la vida y la muerte, exaltaba y humillaba a su arbitrio. Pero se ensoberbeció y creció su arrogancia; entonces lo derribaron del trono real y lo despojaron de su dignidad. Tuvo que vivir lejos de los hombres, con instintos de bestia; en compañía de asnos salvajes, comiendo hierba como los toros, con su cuerpo empapado en relente[138], hasta que reconoció que el Dios Altísimo rige los reinos humanos y coloca en el trono a quien quiere. Pues bien, tú, Baltasar, su hijo, aun sabiendo esto, no has querido humillarte. Te has rebelado contra el Señor del cielo, has hecho traer los vasos de su Templo para brindar con ellos en compañía de tus nobles, tus mujeres y concubinas. Habéis alabado a dioses de oro y plata, de bronce y hierro, de piedra y madera, que ni ven, ni oyen, ni entienden; mientras que al Dios dueño de vuestra vida y vuestras empresas ni lo has honrado. Por eso Dios ha enviado esa mano para escribir ese texto. Lo que está escrito es: "Contado. Pesado. Dividido". La interpretación es esta: "Contado": Dios ha contado los días de tu reinado y les ha señalado el límite. "Pesado": Te ha pesado en la balanza y te falta peso. "Dividido": Tu reino se ha dividido y se lo entregan a medos y persas».

---

[138] *Relente:* humedad que en noches serenas se nota en la atmósfera.

Baltasar mandó vestir a Daniel de púrpura, ponerle un collar de oro y pregonar que tenía el tercer puesto en el reino.

Baltasar, rey de los caldeos, fue asesinado aquella misma noche. Darío[139], el medo, le sucedió en el trono a la edad de sesenta y dos años. Darío decidió nombrar ciento veinte sátrapas[140] que gobernasen el reino, y sobre ellos tres ministros, a quienes los sátrapas rendirían cuentas para que no sufriesen los intereses de la corona. Uno de los tres era Daniel.

Daniel sobresalía entre los ministros y los sátrapas por su talento extraordinario, de modo que el rey decidió ponerlo al frente de todo el reino. Entonces los ministros y los sátrapas buscaron algo de qué acusarle en su administración del reino; pero no le encontraron ninguna culpa ni descuido, porque era hombre de fiar que no cometía errores ni era negligente. Aquellos hombres se dijeron:

—No podremos acusar a Daniel de ninguna falta. Tenemos que buscar un delito de carácter religioso.

Entonces los ministros y sátrapas fueron al rey diciéndole:

—¡Viva siempre el rey Darío! Los ministros del reino, los prefectos, los sátrapas, consejeros y gobernadores están de acuerdo en que el rey debe promulgar un edicto sancionando que en los próximos treinta días nadie haga oración a otro dios que no seas tú, bajo pena de ser arrojado al foso de los leones. Por tanto, majestad, promulga esa prohibición y firma el documento para que sea irrevocable, como ley perpetua de medos y persas.

Así, el rey Darío promulgó y firmó el decreto.

---

[139] Darío es el rey medo-persa que permitió la reconstrucción del Templo de Jerusalén. De nuevo hay una incongruencia histórica, puesto que el rey persa que venció al imperio babilonio fue Ciro.

[140] *Sátrapa:* gobernador de una provincia de la antigua Persia.

Cuando Daniel se enteró de la promulgación del decreto, subió al piso superior de su casa, que tenía ventanas orientadas hacia Jerusalén. Y, arrodillado, oraba dando gracias a Dios tres veces al día, como solía hacerlo. Aquellos hombres lo espiaron y lo sorprendieron orando y suplicando a su Dios. Entonces fueron a decirle al rey:

—Majestad, ¿no has firmado tú un decreto que prohíbe hacer oración a cualquier dios fuera de ti, bajo pena de ser arrojado al foso de los leones?

El rey contestó:

—El decreto está en vigor, como ley irrevocable de medos y persas.

Ellos le replicaron:

—Pues Daniel, uno de los deportados de Judea, no te obedece a ti, majestad, ni a la prohibición que has firmado, sino que tres veces al día reza sus oraciones.

Al oírlo, el rey, todo sofocado, se puso a pensar la manera de salvar a Daniel, y hasta la puesta del sol hizo lo imposible por liberarlo. Pero aquellos hombres le urgían diciéndole:

—Majestad, sabes que, según la ley de medos y persas, una prohibición o edicto real es válido e irrevocable.

Entonces el rey mandó traer a Daniel y echarlo al foso de los leones. El rey dijo a Daniel:

—¡Que te salve ese Dios a quien tú veneras con tanta constancia!

Trajeron una piedra, taparon con ella la boca del foso y el rey la selló con su sello y con el de sus nobles, para que nadie pudiese modificar la sentencia dada contra Daniel. Luego el rey volvió a palacio, pasó la noche en ayunas, sin mujeres y sin poder dormir. Madrugó y fue corriendo al foso de los leones. Se acercó al foso y gritó afligido:

—¡Daniel, siervo del Dios vivo! ¿Ha podido salvarte de los leones ese Dios a quien veneras con tanta constancia?

Daniel le contestó:

—¡Viva siempre el rey! Mi Dios envió su ángel a cerrar las fauces de los leones, y no me han hecho nada, porque ante él soy inocente, como tampoco he hecho nada contra ti.

El rey se alegró mucho y mandó que sacaran a Daniel del foso. Al sacarlo no tenía ni un rasguño, porque había confiado en su Dios. Luego mandó el rey traer a los que habían calumniado a Daniel y arrojarlos al foso de los leones con sus hijos y esposas. No habían llegado al suelo y ya los leones los habían atrapado y despedazado. Entonces el rey Darío escribió a todos los pueblos, naciones y lenguas de la tierra: «¡Paz y bienestar! Ordeno y mando: Que en mi imperio todos respeten y teman al Dios de Daniel. Él es el Dios vivo que permanece siempre. Su reino no será destruido, su imperio dura hasta el fin. Él salva y libra, hace signos y prodigios en el cielo y en la tierra. Él salvó a Daniel de los leones».

Así fue como prosperó Daniel durante el reinado de Darío y de Ciro de Persia.

88. REGRESO DEL CAUTIVERIO

Como ningún imperio es eterno, el poderoso reino de Babilonia sucumbió años más tarde al ataque del ejército persa, que conquistó toda la región. El rey medo-persa Ciro permitió entonces a los judíos que volvieran a Jerusalén y reconstruyeran el Templo.

Ciro, rey de Persia, decreta: «El Señor, Dios del cielo, me ha entregado todos los reinos de la tierra y me ha encargado construirle un templo en Jerusalén de Judá. Los que entre vosotros pertenezcan a ese pueblo, que su Dios los acompañe y suban a Jerusalén de Judá para reconstruir el Templo del Señor, Dios de Israel, el Dios que habita en Jerusalén. Y a todos los supervivientes, dondequiera que residan, la gente del lugar les proporcionará plata, oro, hacienda y ganado, además de las ofrendas voluntarias para el Templo del Dios de Jerusalén».

Entonces, todos los que se sintieron movidos por Dios (cabezas de familia de Judá y Benjamín, sacerdotes y levitas) se pusieron en marcha y subieron a reedificar el Templo de Jerusalén. Sus vecinos les proporcionaron de todo: plata, oro, hacienda, ganado y otros muchos regalos, además de las ofrendas voluntarias.

El rey Ciro mandó sacar el ajuar del templo que Nabucodonosor se había llevado de Jerusalén para colocarlo en el templo de su dios. Ciro de Persia lo consignó al tesorero Mitrídates, que lo contó delante de Sesbasar, príncipe de Judá. Era la siguiente cantidad: treinta copas de oro, mil copas de plata, veintinueve cuchillos, treinta vasos de oro, cuatrocientos diez vasos de plata y mil objetos de otras clases. Total de objetos de oro y plata: cinco mil cuatrocientos. Sesbasar los llevó todos consigo cuando los desterrados subieron de Babilonia a Jerusalén.

No todos los judíos desterrados decidieron volver a Jerusalén. El antiguo reino de Judá era ahora una tierra casi abandonada, y algunos de los exiliados habían alcanzado una buena posición social en Babilonia. Así, en un primer momento, fueron entre cuarenta y cincuenta mil hombres los que emprendieron el camino hacia su antigua patria. Su jefe se llamaba Zorobabel.

Al llegar a Jerusalén se encontraron una ciudad en ruinas, el templo destruido y los campos yermos. Algunos judíos, sobre todo los más ancianos, que habían conocido el antiguo esplendor, lloraban al contemplar tanta desolación. Sin embargo, pronto se pusieron manos a la obra y comenzaron por reconstruir el Templo.

Cuando los samaritanos, que vivían en los territorios del antiguo reino de Israel, vieron que los judíos estaban trabajando para volver a poner en pie el Templo, les ofrecieron su ayuda, pues también querían hacer sus sacrificios en aquel lugar. Sin embargo, los judíos rechazaron su colaboración, pues querían mantenerse separados. Por eso los samaritanos construyeron un altar para ellos sobre un monte cerca de Samaría y comenzaron a meter cizaña contra los judíos: le dijeron al rey de Persia que querían amurallar Jerusalén y rebelarse. Así, el rey mandó paralizar las obras, que solo se reanudaron cuando accedió al trono Darío, otro rey de Persia que es recordado como muy amigo de los judíos.

89. EL DRAMA DE JOB

Había una vez en el país de Hus[141] un hombre llamado Job: era justo y honrado, religioso y apartado del mal. Tenía siete hijos y tres hijas. Tenía siete mil ovejas, tres mil camellos, quinientas yuntas de bueyes, quinientas burras y una servidumbre numerosa. Era el más rico entre los hombres de oriente.

Sus hijos solían celebrar banquetes, un día en casa de cada uno, e invitaban a sus tres hermanas a comer con ellos. Al terminar esos días de fiesta, Job los hacía venir para purificarlos: madrugaba y ofrecía un holocausto por cada uno, por si habían pecado maldiciendo a Dios en su interior. Esto lo solía hacer Job cada vez.

Un día fueron los ángeles y se presentaron al Señor; entre ellos llegó también Satán[142]. El Señor le preguntó:

---

[141] No se sabe cuál es este país. Lo que sí queda claro es que se presenta a Job como a un extranjero, no perteneciente al pueblo de Israel.

[142] No debemos identificar aquí a Satán con el demonio, con un ángel caído que odia a Dios. Este Satán es el antagonista de Dios en la narración, un personaje que lo provoca para que se desencadene el drama.

—¿De dónde vienes?

Él respondió:

—De dar vueltas por la tierra.

El Señor le dijo:

—¿Te has fijado en mi siervo Job? En la tierra no hay otro como él: es un hombre justo y honrado, religioso y apartado del mal.

Satán le respondió:

—¿Y crees tú que su religión es desinteresada? ¡Si tú mismo lo has cercado y protegido, a él, a su hogar y todo lo suyo! Has bendecido sus trabajos, y sus rebaños se ensanchan por el país. Pero tócalo, daña sus posesiones, y te apuesto a que te maldice en tu cara.

El Señor le dijo:

—Haz lo que quieras con sus cosas, pero a él no lo toques.

Y Satán se marchó.

Un día que sus hijos e hijas comían y bebían en casa del hermano mayor, llegó un mensajero a casa de Job y le dijo:

—Estaban los bueyes arando y las burras pastando a su lado, cuando cayeron sobre ellos unos sábeos, apuñalaron a los mozos y se llevaron el ganado. Solo yo pude escapar para contártelo.

No había acabado de hablar, cuando llegó otro y dijo:

—Ha caído un rayo del cielo que ha quemado y consumido tus ovejas y pastores. Solo yo pude escapar para contártelo.

No había acabado de hablar, cuando llegó otro y dijo:

—Una banda de caldeos, dividiéndose en tres grupos, se echó sobre los camellos y se los llevó y apuñaló a los mozos. Solo yo pude escapar para contártelo.

No había acabado de hablar, cuando llegó otro y dijo:

—Estaban tus hijos y tus hijas comiendo y bebiendo en casa del hermano mayor, cuando un huracán cruzó el desierto y embistió por los cuatro costados la casa, que se derrumbó y los mató. Solo yo pude escapar para contártelo.

Entonces Job se levantó, se rasgó el manto, se rapó la cabeza, se echó por tierra y dijo:

—Desnudo salí del vientre de mi madre y desnudo volveré a él. El Señor me lo dio, el Señor me lo quitó: ¡bendito sea el nombre del Señor!

A pesar de todo, Job no pecó ni acusó a Dios de desatino.

Un día fueron los ángeles y se presentaron al Señor; entre ellos llegó también Satán.

El Señor le preguntó:

—¿De dónde vienes?

Él respondió:

—De dar vueltas por la tierra.

El Señor le dijo:

—¿Te has fijado en mi siervo Job? En la tierra no hay otro como él: es un hombre justo y honrado, religioso y apartado del mal, y tú me has incitado contra él, para que lo aniquilara sin motivo; pero todavía persiste en su honradez.

Satán respondió:

—Uno da una piel por otra piel; por la vida todo lo que tiene. Ponle la mano encima, hiérelo en la carne y en los huesos, y te apuesto a que te maldice en tu cara.

El Señor le dijo:

—Haz lo que quieras con él, pero respétale la vida.

Y Satán se marchó. E hirió a Job con llagas malignas, desde la planta del pie a la coronilla. Job agarró una tejuela para rasparse con ella, sentado en medio de la ceniza. Su mujer le dijo:

—¿Todavía persistes en tu honradez? Maldice a Dios y muérete.

Él le contestó:

—Hablas como una necia. Si aceptamos de Dios los bienes, ¿no vamos a aceptar los males?

A pesar de todo, Job no pecó con sus labios.

Tres amigos suyos —Elifaz de Teman, Bildad de Suj y Sofar de Naamat—, al enterarse de la desgracia que había sufrido, salieron de su lugar y se reunieron para ir a compartir su pena y consolarlo. Cuando lo vieron a distancia, no lo reconocían y rompieron a llorar; se rasgaron el manto, echaron polvo sobre la cabeza, hacia el cielo y se quedaron con él, sentados en el suelo, siete días con sus noches, sin decirle una palabra, viendo lo atroz de su sufrimiento. Entonces Job abrió la boca y maldijo su día diciendo:

90. LAMENTO DE JOB

¡Muera el día que nací,
la noche que dijo:
«Han concebido un varón»!
Que ese día se vuelva tinieblas,
que Dios desde lo alto se desentienda de él,
que sobre él no brille la luz,
que lo reclamen las tinieblas y las sombras,
que la niebla se pose sobre él,
que un eclipse lo aterrorice;
que se apodere de esa noche la oscuridad,
que no se sume a los días del año,
que no entre en la cuenta de los meses,
que esa noche quede estéril y cerrada a los gritos de júbilo,
que la maldigan los que maldicen el día,
los que entienden de incitar al Leviatán[143];
que se velen las estrellas de su aurora,
que espere la luz y no llegue,

---

[143] *Leviatán:* gran monstruo marino.

que no vea el parpadear del alba;
porque no me cerró las puertas del vientre
y no escondió a mi vista tanta miseria.
¿Por qué al salir del vientre no morí
o perecí al salir de las entrañas?
¿Por qué me recibió un regazo
y unos pechos me dieron de mamar?
Ahora reposaría tranquilo
y dormiría en paz,
como los reyes y consejeros de la tierra
que reconstruyen ciudades derruidas;
o como los nobles que poseyeron oro
y llenaron de plata sus palacios.
Ahora sería un aborto enterrado,
una criatura que no llegó a ver la luz.
Allí acaba el tumulto de los malvados,
allí reposan los que están rendidos,
con ellos descansan los prisioneros
sin oír la voz del capataz;
se confunden pequeños y grandes
y el esclavo se emancipa de su amo.
¿Por qué dio a luz a un desgraciado
y vida al que la pasa en la amargura,
al que ansía la muerte que no llega
y escarba buscándola, más que un tesoro,
al que se alegraría ante la tumba
y gozaría al recibir sepultura,
al hombre que no encuentra camino
porque Dios le cerró la salida?
Por alimento tengo mis sollozos
y mis gemidos desbordan como agua.

Lo que más temía me sucede,
lo que más me aterraba me acontece:
vivo sin paz, sin calma, sin descanso,
en puro sobresalto.

91. JOB PROCLAMA SU INOCENCIA Y DENUNCIA LA INJUSTICIA

*Los amigos de Job intervienen e intentan, uno por uno, conven-
cerle de que si sufre de este modo es porque ha cometido algún pecado.
Era una idea muy extendida en aquella época: los buenos son dichosos, Dios los colma de salud, de felicidad y de riquezas, mientras que
los malvados son desgraciados y sufren. Job, sin embargo, rechaza
completamente esta teoría. Proclama una y otra vez su inocencia, y
acusa a Dios de ser injusto con él. Desea su muerte, pero aún más desea conocer la causa de su sufrimiento. Job suplica a Dios que se jus-
tifique ante él, que le explique el porqué de todas aquellas desgracias.*

Escuchad atentamente mis palabras, [Job habla a sus amigos]
prestad oído a mi discurso:
he preparado mi defensa
y sé que soy inocente.
¿Quiere alguien contender conmigo?
Porque callar ahora sería morir.
Asegúrame, Dios, estas dos cosas
y no me esconderé de tu presencia:
que mantendrás lejos de mí tu mano
y que no me espantarás con tu terror;
después acúsame y yo te responderé,
o hablaré yo y tú me replicarás.
¿Cuántos son mis pecados y mis culpas?
Demuéstrame mis delitos y pecados.

¿Por qué ocultas tu rostro y me tratas como a tu enemigo?,
¿por qué asustas a una hoja volandera
y persigues la paja seca?

* * *

Oíd atentamente mis palabras, [Job habla a sus amigos]
sea este el consuelo que me dais.
Tened paciencia mientras hablo,
y cuando termine, podrás burlarte.
¿Me quejo yo de algún hombre
o pierdo la paciencia sin razón?
Atendedme, que de puro asombro
os llevaréis la mano a la boca.
Cuando lo recuerdo, me horrorizo
y me atenaza las carnes el pavor.
¿Por qué siguen vivos los malvados
y al envejecer se hacen más ricos?
Su prole está segura en su compañía
y ven crecer a sus retoños;
sus hogares, en paz y sin temor,
la vara de Dios no los azota;
su toro cubre sin marrar[144],
la vaca les pare sin abortar.
Dejan correr a sus chiquillos como cabritos,
dejan saltar a sus críos;
cantan al son de cítaras y panderos
y se regocijan oyendo la flauta.
Así consumen su vida dulcemente
y bajan serenamente al sepulcro.

* * *

---

[144] *Marrar:* equivocarse.

Hoy también me quejo amargamente,
porque su mano [de Dios] agrava mis gemidos.
¡Ojalá supiera cómo encontrarlo,
cómo llegar a su tribunal!
Presentaría ante él mi causa
con la boca llena de argumentos.
Sabría con qué palabras me replica
y comprendería lo que me dice.
¿Pleitearía él conmigo haciendo alarde de fuerza?
No; más bien tendría que escucharme.
Entonces yo discutiría lealmente con él
y ganaría definitivamente mi causa.
Pero me dirijo a levante, y no está allí;
al poniente, y no lo distingo;
al norte, donde actúa, y no lo descubro;
se oculta en el sur, y no lo veo.
Pero ya que él conoce mi conducta,
que me examine, y saldré como el oro.
Mis pies pisaban sus huellas,
seguía su camino sin torcerme;
no me aparté de sus mandatos
y guardé en el pecho sus palabras.
Pero él no cambia: ¿quién podrá disuadirlo?
Quiere una cosa y la realiza.
Él ejecutará mi sentencia
y otras muchas que tiene pensadas.
Por eso me aterro en su presencia,
siento miedo de él sólo al pensarlo
porque Dios me ha intimidado,
me ha aterrado el Todopoderoso.
¡Ojalá me desvaneciera en las tinieblas
y velara mi rostro la oscuridad!

92. Dios responde a Job

Entonces el Señor respondió a Job
desde la tormenta:
—¿Quién es ese que denigra mis designios
con palabras sin sentido?
Si eres nombre, cíñete los lomos:
voy a interrogarte y tú responderás.
¿Dónde estabas cuando cimenté la tierra?
Dímelo, si es que sabes tanto.
¿Quién señaló sus dimensiones? —si lo sabes—,
¿o quién le aplicó la cinta de medir?
¿Dónde encaja su basamento[145]
o quién asentó su piedra angular
entre la aclamación unánime de los astros de la mañana
y los vítores de todos los ángeles?
¿Quién cerró el mar con una puerta
cuando salía impetuoso del seno materno,
cuando le puse nubes por mantillas[146]
y niebla por pañales,
cuando le impuse un límite con puertas y cerrojos
y le dije: «Hasta aquí llegarás y no pasarás;
aquí cesará la arrogancia de tus olas»?
¿Has mandado en tu vida a la mañana
o has señalado su puesto a la aurora
para que agarre la tierra por los bordes
y sacuda de ella a los malvados,

[145] *Basamento:* base de una columna.
[146] *Mantillas:* prenda de lana para abrigar y envolver a los niños por encima de los pañales.

para que le dé forma como el sello a la arcilla
y la tina[147] como la ropa,
para que se les niegue su luz a los malvados
y se quiebre el brazo sublevado?
¿Has entrado por los hontanares[148] del mar
o paseado por la hondura del océano?
¿Te han enseñado las puertas de la Muerte
o has visto los portales de las Sombras?
¿Has examinado la anchura de la tierra?
Cuéntamelo, si lo sabes todo.

¿Te atreves a violar mi derecho
o a condenarme para salir tú absuelto?

¿Quién resistirá frente a mí?
¿Quién me hará frente y saldrá ileso?
Cuanto hay bajo el cielo es mío.

93. Respuesta de Job

Job respondió al Señor:
—Reconozco que lo puedes todo
y ningún plan es irrealizable para ti.
[Tú has dicho:] «¿Quién es ese
que empaña mis designios
con palabras sin sentido?».

---

[147] *Tina:* vasija grande de barro que se utilizaba para teñir la ropa.
[148] *Hontanar:* sitio donde nacen fuentes y manantiales.

—Es cierto, hablé sin entender de maravillas
que superan mi comprensión.
[Tú has dicho:] «Escúchame, que voy a hablar,
voy a interrogarte y tú responderás».
—Te conocía sólo de oídas,
ahora te han visto mis ojos;
por eso me retracto y me arrepiento
echándome polvo y ceniza.

94. JOB ES RECOMPENSADO

Cuando el Señor terminó de decir esto a Job, se dirigió a Elifaz de Teman:

—Estoy irritado contra ti y tus dos compañeros porque no habéis hablado rectamente de mí, como lo ha hecho mi siervo Job[149]. Por tanto, tomad siete novillos y siete carneros, dirigíos a mi siervo Job, ofrecedlos en holocausto y mi siervo Job intercederá por vosotros. Yo haré caso a Job y no os trataré como merece vuestra temeridad, por no haber hablado rectamente de mí, como lo ha hecho mi siervo Job.

Fueron Elifaz de Teman, Bildad de Suj y Sofar de Naamat, hicieron lo que mandaba el Señor y el Señor hizo caso a Job.

Cuando Job intercedió por sus compañeros, el Señor cambió su suerte y duplicó todas sus posesiones. Vinieron a visitarlo sus hermanos y hermanas y los antiguos conocidos, comieron con él en su casa,

---

[149] Dios reconoce la sabiduría de Job, a pesar de su rebeldía. Sorprendentemente, reprende a sus amigos, que habían tratado de convencerle sin descanso de que era imposible sufrir sin ser culpable, pues Dios nunca permitiría que sucediera algo injusto.

le dieron el pésame y lo consolaron de la desgracia que el Señor le había enviado; cada uno le regaló una suma de dinero y un anillo de oro.

El Señor bendijo a Job después, más aún que al principio; sus posesiones fueron catorce mil ovejas, seis mil camellos, mil yuntas de bueyes y mil borricas. Tuvo siete hijos y tres hijas: la primera se llamaba Paloma, la segunda Acacia, la tercera Azabache. No había en todo el país mujeres más bellas que las hijas de Job. Su padre les repartió heredades como a sus hermanos. Después Job vivió ciento cuarenta años y conoció a sus hijos, nietos y bisnietos. Y Job murió anciano y colmado de años.

95. HELENISMO Y MACABEOS

Durante la época de dominio persa el país se había ido repoblando poco a poco; Jerusalén y su Templo estaban ya reconstruidos. Sin embargo, al cabo de algunos años el imperio persa fue conquistado por los griegos, dirigidos por Alejandro Magno. A la muerte de Alejandro, varios príncipes herederos lucharon encarnizadamente por conservar el poder. Así, el imperio acabó dividiéndose en tres zonas. Los judíos fueron gobernados por diversos reyes que, en un principio, respetaron su autonomía para seguir su religión y sus leyes, con obligación de pagar tributos y dar soldados al rey.

Cuando subió al trono Antíoco IV Epífanes, de la dinastía helénica de los seléucidas, se produjo un cambio radical en esta forma de convivencia: el rey prohibió la religión judía e impuso el culto a los dioses griegos, profanando el Templo de Jerusalén. Ante esta terrible afrenta, un grupo de héroes judíos, los macabeos, se rebelaron y consiguieron liberar al país del dominio de los seléucidas. Desgraciadamente, la rebelión provocó un gran derramamiento de sangre, intervino el ejército sirio, y se estableció en el poder la monarquía judía de los hasmoneos, que colaboraron con los diferentes poderes extranjeros que hubo en la región.

96. Qohélet

En estos tiempos convulsos se escribió un libro, de cuyo autor nada sabemos, en el que aparecen profundas reflexiones acerca del sentido de la vida. Qohélet se dirige a la asamblea del pueblo con estas hermosas y sorprendentes palabras:

¡Vanidad de vanidades —dice Qohélet—; vanidad de vanidades, todo es vanidad!

Todo tiene su tiempo y sazón[150], todas las tareas bajo el sol:
tiempo de nacer, tiempo de morir;
tiempo de plantar, tiempo de arrancar;
tiempo de matar, tiempo de sanar;
tiempo de derruir, tiempo de construir;
tiempo de llorar, tiempo de reír;
tiempo de hacer duelo, tiempo de bailar;
tiempo de arrojar piedras, tiempo de recoger piedras;
tiempo de abrazar, tiempo de desprenderse;
tiempo de buscar, tiempo de perder;
tiempo de guardar, tiempo de desechar;
tiempo de rasgar, tiempo de coser;
tiempo de callar, tiempo de hablar;
tiempo de amar, tiempo de odiar;
tiempo de guerra, tiempo de paz.

¿Qué saca el obrero de sus fatigas? Observé todas las tareas que Dios encomendó a los hombres para afligirlos; todo lo hizo her-

---

[150] *Sazón:* madurez, estado de perfección de las cosas.

moso en su sazón y dio al hombre el mundo para que pensara; pero el hombre no abarca las obras que hizo Dios desde el principio hasta el fin.

Y comprendí que el único bien del hombre es alegrarse y pasarlo bien en la vida. Pero que el hombre coma y beba y disfrute del producto de su trabajo es don de Dios. Comprendí que todo lo que hizo Dios durará siempre: no se puede añadir ni restar. Porque Dios exige que lo respeten. Lo que fue ya había sido, lo que será ya fue, pues Dios da alcance a lo que huye.

97. JUDIT[151]

El rey Nabucodonosor, enfurecido porque varios pueblos de la zona habían minusvalorado su poder y no habían querido aliarse con él, ordenó al general de su ejército, Holofernes, que emprendiera una campaña de ataque contra aquellos que le habían humillado. Así, fueron declarando guerra tras guerra y destruyeron ciudades enteras. La población de la región estaba aterrada.

Cuando los israelitas de Judá se enteraron de lo que Holofernes había hecho a aquellas naciones, saqueando sus templos y entregán-

---

[151] El libro de Judit, muy probablemente compuesto en la época de los macabeos, presenta numerosas inexactitudes históricas. Nabucodonosor es identificado como rey de los asirios, que reinó en Nínive, cuando en realidad fue rey de los caldeos y reinó en Babilonia. El libro de Judit es una «novela histórica»: se sitúa en un momento del pasado (el ataque de Nabucodonosor al reino de Judá) con el objetivo de exaltar el patriotismo y la resistencia judía frente a los enemigos actuales (que en aquel momento eran los griegos).

dolos al pillaje, se aterrorizaron, temblando por Jerusalén y el Templo. Decidieron entonces encomendarse a Dios: suplicaron, rezaron, ayunaron y ofrecieron sacrificios.

Mientras tanto, a Holofernes le llegaron noticias de que los israelitas se estaban preparando para la guerra. Esto le enfureció y, aunque Ajior, jefe de los amonitas, le advirtió de que el Dios de los israelitas los defendería de cualquier ataque, no vaciló en declararles la guerra.

El ejército de Holofernes sitió la ciudad de Betulia. Los israelitas poco a poco fueron consumiendo sus reservas de agua y alimentos, y estaban cada vez más desesperados. Un día se amotinaron contra las autoridades de la ciudad para exigirles que negociaran la paz con los asirios, dado que la resistencia los conduciría a una muerte segura. Su gobernador, Ozías, acabó prometiendo al pueblo que entregaría la ciudad a los asirios si la situación no cambiaba en un plazo de cinco días.

Estos hechos llegaron a oídos de una joven viuda, muy bella y muy religiosa, llamada Judit, que se presentó en la asamblea y reprochó a los israelitas que hubieran dejado de confiar en su Dios.

Judit les dijo:

—Escuchadme. Voy a hacer una cosa que se comentará de generación en generación entre la gente de nuestra raza. Esta noche os ponéis junto a las puertas. Yo saldré con mi ama de llaves, y en el plazo señalado para entregar la ciudad al enemigo el Señor socorrerá a Israel por mi medio. Pero no intentéis averiguar lo que voy a hacer, porque no os lo diré hasta que lo cumpla.

Ozías y los jefes le dijeron:

—Vete en paz. Que Dios te guíe para que puedas vengarte de nuestro enemigo.

Luego salieron de la habitación y cada uno se fue a su puesto.

Judit acudió entonces al templo y oró pidiendo ayuda a Dios.

Cuando Judit terminó de suplicar al Dios de Israel, cuando acabó sus rezos, se puso en pie, llamó al ama de llaves y bajó a la casa, en la que pasaba los sábados y días de fiesta; se despojó del sayal, se quitó el vestido de luto, se bañó, se ungió con un perfume intenso, se peinó, se puso una diadema y se vistió la ropa de fiesta que se ponía en vida de su marido, Manasés; se calzó las sandalias, se puso los collares, las ajorcas, los anillos, los pendientes y todas sus joyas. Quedó bellísima, capaz de seducir a los hombres que la viesen.

Luego entregó a su ama de llaves un odre de vino y una aceitera; llenó las alforjas con galletas, un pan de frutas secas y panes puros; empaquetó las provisiones y se las dio al ama. Cuando salían hacia la puerta de Betulia encontraron allí a Ozías, en pie, y a los concejales de la ciudad Cabris y Carmis. Al verla con aquel semblante transformado, y con otros vestidos, se quedaron pasmados ante tanta belleza, y le dijeron:

—¡Que el Dios de nuestros padres te favorezca y te permita realizar tus planes para gloria de los israelitas y exaltación de Jerusalén!

Ella adoró a Dios, y les dijo:

—Ordenad que me abran las puertas de la ciudad para ir a cumplir vuestros deseos.

Ellos ordenaron a los soldados que le abrieran, como pedía. Así lo hicieron. Judit salió con su criada. Los hombres de la ciudad la siguieron con la vista mientras bajaba el monte, hasta que cruzó el valle y desapareció. Cuando caminaban derecho por el valle les salió al encuentro una avanzadilla asiria que les echó el alto:

—¿De qué nación eres, de dónde vienes y adónde vas?

Judit respondió:

—Soy hebrea, y huyo de mi gente porque les falta poco para caer en vuestras manos. Quisiera presentarme a Holofernes, vuestro generalísimo, para darle informaciones auténticas; le enseñaré el camino por donde puede pasar y conquistar toda la sierra sin que caiga uno solo de sus hombres.

Mientras la escuchaban admiraban aquel rostro, que les parecía un prodigio de belleza, y le dijeron:

—Has salvado la vida apresurándote a bajar para presentarte a nuestro jefe. Ve ahora a su tienda; te escoltarán hasta allá algunos de los nuestros. Y cuando estés ante él, no tengas miedo; dile lo que nos has dicho, y te tratará bien.

Eligieron a cien hombres, que escoltaron a Judit y su ama de llaves hasta la tienda de Holofernes. Al correrse por las tiendas la noticia de su llegada, se armó un revuelo por todo el campamento. Y como Judit estaba fuera de la tienda de Holofernes mientras la anunciaban, los soldados la rodearon admirando su hermosura y, por ella, a los israelitas. Comentaban:

—No podemos menospreciar a una nación que tiene mujeres tan bellas. No hay que dejarles ni un solo hombre; los que quedasen serían capaces de engañar a todo el mundo.

Los guardaespaldas de Holofernes y los oficiales salieron e introdujeron a Judit en la tienda. Holofernes estaba reposando en su lecho, bajo un dosel de púrpura y oro, recamado con esmeraldas y piedras preciosas. Cuando le dijeron que estaba Judit, salió a la antecámara precedido de portadores de lámparas de plata.

Cuando Judit estuvo frente a Holofernes y sus oficiales, todos quedaron pasmados ante aquel rostro tan hermoso. Ella se postró ante él, rostro en tierra; pero los esclavos la levantaron. Holofernes le dijo:

—Ánimo, mujer, no tengas miedo; yo no he hecho nunca daño a nadie que quiera servir a Nabucodonosor, rey del mundo entero. Incluso si tu gente de la sierra no me hubiese despreciado, yo no blandiría[152] mi lanza contra ellos. Pero ellos se lo han buscado. Bien, dime por qué te has escapado y te pasas a nosotros. Viniendo has salvado la vida. Ánimo, no correrás peligro ni esta noche ni después. Nadie te tratará mal. Nos portaremos bien contigo, como con los siervos de mi señor, el rey Nabucodonosor.

Entonces Judit le dijo:

—Permíteme hablarte, y acoge las palabras de tu esclava. No mentiré esta noche a mi señor. Si haces caso a las palabras de tu esclava, Dios llevará a buen término tu campaña, no fallarás en tus planes. Pues ¡por vida de Nabucodonosor, rey del mundo entero, que te ha enviado para poner en orden a todos, y por su Imperio! Gracias a ti no solo le servirán los hombres, sino que por tu poder hasta las fieras, y los rebaños, y las aves del cielo vivirán a disposición de Nabucodonosor y de su casa. Porque hemos oído hablar de tu sabiduría y tu astucia, y todo el mundo comenta que tú eres el mejor en todo el Imperio, el consejero más hábil y el estratega más admirado. Ahora bien, nos enteramos del discurso que pronunció Ajior en tu consejo, porque los de Betulia le perdonaron la vida y él les contó todo lo que dijo aquí. Alteza, no deseches su opinión, tenla presente, porque es exacta: nuestra raza no sufrirá daño ni las armas podrán someterlos si no pecan contra su Dios. Pero ahora, que mi señor no se sienta rechazado y fracasado, la muerte se abate sobre ellos: son reos de un pecado con el que irritan a su Dios cuando lo cometen. Como han empezado a faltarles los víveres y a agotárseles el agua, han acordado lanzarse sobre sus rebaños, han decidido consumir cuanto el Señor en sus leyes les prohibió comer[153] y han resuelto acabar con las primicias del trigo y los diezmos del

---

[152] *Blandir:* mover un arma.

[153] Recordemos que, según la ley judía, hay una serie de animales que son considerados impuros (entre ellos el cerdo) y no se pueden comer.

vino y del aceite, porción sagrada de los sacerdotes que ofician ante nuestro Dios en Jerusalén que ningún laico puede ni tocar. Y como los de Jerusalén ya lo están haciendo, han mandado allá una comisión para conseguir del Senado el mismo permiso; y lo que va a pasar es que, en cuanto les llegue el permiso, lo usarán, y ese mismo día caerán en tu poder para que los aniquiles. Por eso, en cuanto lo supe, me escapé. Dios me envía para hacer contigo una hazaña que asombrará a cuantos la oigan. Yo soy una mujer piadosa; día y noche doy culto al Dios del cielo. Ahora, señor, me gustaría quedarme con vosotros; saldré por las noches hacia el barranco, para pedirle a Dios que me avise cuando cometan ese pecado. Y entonces vendré a decírtelo; tú saldrás con todo tu ejército y ninguno de ellos te opondrá resistencia. Yo te guiaré a través de Judá, hasta llegar frente a Jerusalén, y pondré tu trono en medio de la ciudad. Tú los manejarás como a ovejas sin pastor y ni un perro gruñirá contra ti. Todo esto lo preveo, me ha sido anunciado y he sido enviada para comunicártelo.

Las palabras de Judit agradaron a Holofernes, y sus oficiales, admirados de la prudencia de Judit, comentaron:

—En toda la tierra, de punta a cabo, no hay una mujer tan bella y que hable tan bien.

Y Holofernes le dijo:

—Dios ha hecho bien enviándote por delante de los tuyos para darnos a nosotros el poder y destruir a los que despreciaron a mi señor. Eres tan guapa como elocuente. Si haces lo que has dicho, tu Dios será mi Dios, vivirás en el palacio del rey Nabucodonosor y serás célebre en todo el mundo.

Luego ordenó que la llevaran a donde tenía su vajilla de plata, y mandó que le sirvieran de su misma comida y de su mismo vino. Pero Judit dijo:

—No los probaré, para no caer en pecado. Yo me he traído mis provisiones.

Holofernes le preguntó:

—Y si se te acaba lo que tienes, ¿de dónde sacamos una comida igual? Entre nosotros no hay nadie de tu raza.

Judit le respondió:

—¡Por tu vida, alteza! No acabaré lo que he traído antes de que el Señor haya realizado su plan por mi medio.

Los oficiales de Holofernes la llevaron a su tienda. Judit durmió hasta la medianoche, se levantó antes del relevo del amanecer y mandó este recado a Holofernes:

—Señor, ordena que me permitan salir a orar.

Holofernes ordenó a los guardias que la dejaran salir.

Así pasó Judit tres días en el campamento. Después de lavarse suplicaba al Señor, Dios de Israel, que dirigiera su plan para exaltación de su pueblo. Luego, purificada, volvía a su tienda y allí se quedaba hasta que, a eso del atardecer, le llevaban la comida.

98. Judit en la tienda de Holofernes

El cuarto día, Holofernes ofreció un banquete exclusivamente para su personal de servicio, sin invitar a ningún oficial, y dijo al eunuco Bagoas, que era su mayordomo:

—Vete a ver si convences a esa hebrea que tienes a tu cargo para que venga a comer y beber con nosotros. Porque sería una vergüenza no aprovechar la ocasión de acostarme con esa mujer. Si no me la gano, se va a reír de mí.

Bagoas salió de la presencia de Holofernes, entró donde Judit y le dijo:

—No tenga miedo esta niña bonita de presentarse a mi señor como huésped de honor, para beber y alegrarse con nosotros, pasando el día como una mujer asiria de las que viven en el palacio de Nabucodonosor.

Judit respondió:

—¿Quién soy yo para contradecir a mi señor? Haré enseguida lo que le agrade; será para mí un recuerdo feliz hasta el día de mi muerte.

Se levantó para arreglarse. Se vistió y se puso todas sus joyas de mujer. Su doncella entró delante y le extendió en el suelo, ante Holofernes, el vellón de lana que le había dado Bagoas para que se recostase allí a diario mientras comía. Judit entró y se sentó. Al verla, Holofernes se turbó, y le agitó la pasión con un deseo violento de unirse a ella (desde la primera vez que la vio esperaba la ocasión de seducirla), y le dijo:

—Anda, bebe; alégrate con nosotros.

Judit respondió:

—Claro que beberé, señor. Hoy es el día más grande de toda mi vida.

Y comió y bebió ante Holofernes, tomando de lo que le había preparado su doncella.

Holofernes, entusiasmado con ella, bebió muchísimo vino, como no había bebido en toda su vida. Cuando se hizo tarde, el personal de servicio se retiró enseguida. Bagoas cerró la tienda por fuera, después de hacer salir a los sirvientes. Todos fueron a acostarse, rendidos por lo mucho que habían bebido. En la tienda quedaron solo Judit y Holofernes, tumbado en el lecho, completamente borracho. Judit había ordenado a su doncella que se quedara fuera de la alcoba y la esperase a la salida como otros días. Había dicho que saldría para hacer la oración, y había hablado de ello con Bagoas. Cuando salieron todos, sin que quedara en la alcoba nadie, ni chico ni grande, Judit, de pie junto al lecho de Holofernes, oró interiormente:

«Señor, Dios todopoderoso, mira ahora benévolo
lo que voy a hacer
para exaltación de Jerusalén.

Ha llegado el momento
de ayudar a tu heredad
y de cumplir mi plan,
hiriendo al enemigo
que se ha levantado
contra nosotros».

Avanzó hacia la columna del lecho, que quedaba junto a la cabeza de Holofernes, descolgó el alfanje[154] y, acercándose al lecho, agarró la melena de Holofernes y oró:

—¡Dame fuerza ahora, Señor, Dios de Israel!

Le asestó dos golpes en el cuello con todas sus fuerzas, y le cortó la cabeza. Luego, haciendo rodar el cuerpo de Holofernes, lo tiró del lecho y arrancó el dosel de las columnas. Poco después salió, entregó a su ama de llaves la cabeza de Holofernes y el ama la metió en la alforja de la comida. Luego salieron las dos juntas para orar, como acostumbraban. Atravesaron el campamento, rodearon el barranco, subieron la pendiente de Betulia y llegaron a las puertas de la ciudad.

Judit gritó desde lejos a los centinelas:

—¡Abrid, abrid la puerta! Dios, nuestro Dios, está con nosotros, demostrando todavía su fuerza en Israel y su poder contra el enemigo. ¡Acaba de pasar hoy!

Cuando los de la ciudad la oyeron, bajaron enseguida hacia la puerta y convocaron a los concejales. Todos fueron corriendo, chicos y grandes. Les parecía increíble que llegara Judit. Abrieron la puerta y la recibieron; luego hicieron una gran hoguera para poder ver, y se arremolinaron en torno a ella. Judit les dijo gritando:

---

[154] *Alfanje:* tipo de sable.

—¡Alabad a Dios, alabadlo! Alabad a Dios, que no ha retirado su misericordia de la casa de Israel; que por mi mano ha dado muerte al enemigo esta misma noche. —Y sacando la cabeza guardada en la alforja, la mostró, y dijo—: Esta es la cabeza de Holofernes, generalísimo del ejército asirio. Este es el dosel bajo el que dormía su borrachera. ¡El Señor lo hirió por mano de una mujer! Vive el Señor, que me protegió en mi camino; os juro que mi rostro sedujo a Holofernes para su ruina, pero no me hizo pecar. Mi honor está sin mancha.

Todos se quedaron asombrados, y postrándose en adoración a Dios, dijeron a una voz:

—Bendito eres, Dios nuestro, que has aniquilado hoy a los enemigos de tu pueblo.

99. Jonás

El Señor dirigió la palabra a Jonás, hijo de Amitay[155]:

—Levántate y vete a Nínive[156], la gran metrópoli, y proclama en ella que su maldad ha llegado hasta mí.

Se levantó Jonás para huir a Tarsis, lejos del Señor; bajó a Jafa y encontró un barco que zarpaba para Tarsis; pagó el precio y embarcó para navegar con ellos a Tarsis, lejos del Señor. Pero el Señor envió un viento impetuoso sobre el mar, se alzó una furiosa tormenta en el mar y la nave estaba a punto de naufragar. Temieron los marineros y cada cual gritaba a su dios. Arrojaron los pertrechos al mar para aligerar la nave, mientras Jonás, que había bajado a lo hondo de la nave, dormía profundamente. El capitán se le acercó y le dijo:

---

[155] Jonás, según la narración, vivió durante el reinado de Jeroboán II de Israel. Sin embargo, se cree que el relato fue compuesto mucho más tarde, entre los siglos IV y III a.C.

[156] Nínive era la capital del gran imperio asirio, enemigo de Israel.

—¿Qué haces dormido? Levántate y grita a tu Dios; a ver si ese Dios se compadece de nosotros y no perecemos.

Y se decían unos a otros:

—Echemos suertes para ver por culpa de quién nos viene esta calamidad. Echaron suertes y le tocó a Jonás.

Le interrogaron:

—Dinos: ¿por qué nos sobreviene esta calamidad?, ¿cuál es tu oficio?, ¿de dónde vienes?, ¿cuál es tu país?, ¿de qué pueblo eres?

Les contestó:

—Soy un hebreo y adoro al Señor, Dios del cielo, que hizo el mar y la tierra firme.

Atemorizados, aquellos hombres le preguntaron:

—¿Qué has hecho? —pues comprendieron que huía del Señor, por lo que él había declarado—: ¿Qué hacemos contigo para que se nos calme el mar? —porque el mar seguía embraveciéndose.

Él contestó:

—Alzadme en vilo y arrojadme al mar, y el mar se os calmará; pues sé que por mi culpa os sobrevino esta furiosa tormenta.

Pero ellos remaban para alcanzar tierra firme, y no podían porque el mar seguía embraveciéndose. Entonces invocaron al Señor:

—¡Ah, Señor, que no perezcamos por culpa de este hombre, no nos hagas responsables de una sangre inocente! Tú, Señor, puedes hacer lo que quieres.

Alzaron en vilo a Jonás y lo arrojaron al mar, y el mar calmó su furia. Y aquellos hombres temieron mucho al Señor. Ofrecieron un sacrificio al Señor y le hicieron votos. El Señor envió un pez gigantesco[157] para que se tragara a Jonás y estuvo Jonás en el vientre del pez tres días con sus noches.

---

[157] Normalmente se ha considerado que este pez gigante es una ballena.

Desde el vientre del pez, Jonás rezó al Señor, su Dios: «En el peligro grité al Señor y me atendió, desde el vientre del abismo pedí auxilio y me escuchó. Me habías arrojado al fondo, en alta mar, me rodeaba la corriente, tus torrentes y tus olas me arrollaban. Pensé: me has arrojado de tu presencia; ¡quién pudiera otra vez ver tu santo templo! A la garganta me llegaba el agua, me rodeaba el océano, las algas se enredaban a mi cabeza; bajaba hasta las raíces de los montes, la tierra se cerraba para siempre sobre mí. Y sacaste mi vida de la fosa, Señor, Dios mío. Cuando se me acababan las fuerzas, invoqué al Señor, llegó hasta ti mi oración, hasta tu santo templo. Los devotos de los ídolos faltan a su lealtad; yo, en cambio, te cumpliré mis votos, mi sacrificio será un grito de acción de gracias: la salvación viene del Señor».

El Señor dio orden al pez de vomitar a Jonás en tierra firme. El Señor dirigió otra vez la palabra a Jonás:

—Levántate y vete a Nínive, la gran metrópoli, y anuncia lo que yo te digo.

Se levantó Jonás y fue a Nínive, como le mandó el Señor.

Nínive era una gran metrópoli, tres días hacían falta para recorrerla. Jonás se fue adentrando en la ciudad y caminó un día entero pregonando: «¡Dentro de cuarenta días Nínive será arrasada!». Creyeron a Dios los ninivitas, proclamaron un ayuno y se vistieron de sayal[158] pequeños y grandes. Cuando el mensaje llegó al rey de Nínive, se levantó del trono, se quitó el manto, se vistió de sayal, se sentó en el polvo y mandó al heraldo[159] proclamar en Nínive un decreto real y de la corte:

—Hombres y animales, vacas y ovejas no prueben bocado, no pasten ni beban; cúbranse de sayal hombres y animales. Invoquen

---

[158] *Sayal:* vestimenta de una tela muy basta, que se ponía en señal de penitencia.
[159] *Heraldo:* mensajero.

fervientemente a Dios; que cada cual se convierta de su mala vida y de sus acciones violentas. A ver si Dios se arrepiente, cesa el incendio de su ira y no perecemos.

Vio Dios sus obras y que se habían convertido de su mala vida, y se arrepintió de la catástrofe con que había amenazado a Nínive y no la ejecutó.

Jonás sintió un disgusto enorme. Irritado, rezó al Señor en estos términos: «¡Ah Señor, ya me lo decía yo cuando estaba en mi tierra! Por algo me adelanté a huir a Tarsis; porque sé que eres un Dios compasivo y clemente, paciente y misericordioso, que te arrepientes de las amenazas. Pues bien, Señor, quítame la vida; más vale morir que vivir».

Respondió el Señor:

—¿Y vale irritarse?

Jonás había salido de la ciudad y se había instalado a levante; allí se había hecho una choza, y estaba sentado a la sombra esperando el destino de la ciudad. Entonces el Señor Dios hizo crecer un árbol de ricino hasta sobrepasar a Jonás, para que le diese sombra en la cabeza y lo librase de una insolación. Jonás estaba encantado con aquel ricino.

Dios envió un gusano al amanecer el día siguiente, el cual dañó el ricino, que se secó. Y cuando el sol apretaba, envió Dios un viento solano[160] bochornoso; el sol abrasaba la cabeza de Jonás y lo hacía desfallecer. Jonás se deseó la muerte y dijo:

—Más vale morir que vivir.

Respondió Dios a Jonás:

—¿Y vale irritarse por lo del ricino?

Contestó:

—¡Vaya si vale! Y mortalmente.

El Señor le replicó:

---

[160] *Viento solano:* viento cálido y sofocante.

—Tú te apiadas de un ricino que no te ha costado cultivar, que una noche brota y otra perece, ¿y yo no voy a apiadarme de Nínive, la gran metrópoli, que habitan más de ciento veinte mil hombres que no distinguen la derecha de la izquierda y muchísimo ganado?

100. LOS ÚLTIMOS TIEMPOS

El imperio helenístico que había fundado Alejandro fue conquistado por los romanos; el general Pompeyo sometió Jerusalén. Los judíos, que iban de desgracia en desgracia, acabaron siendo súbditos de un edomita, el rey Herodes, orgulloso y cruel.

Los romanos impusieron a sus gobernadores en Judá, y los judíos se sentían cada vez más descorazonados, pues no parecían encontrar atisbos de esperanza. ¿Dónde está la justicia de Dios?, se preguntaban. ¿Por qué hemos de soportar todas estas penurias? ¿Cuándo llegará aquel liberador del que hablaban los profetas? En aquellos tiempos no surgieron nuevos profetas, pero el pueblo recordaba las palabras de Daniel, que había tenido una impresionante visión y la había contado así:

«Seguí mirando, y en la visión nocturna vi venir en las nubes del cielo una figura humana, que se acercó al anciano y fue presentada ante él. Le dieron poder real y dominio: todos los pueblos, naciones y lenguas lo respetarán. Su dominio es eterno y no pasa, su reino no tendrá fin.

Yo, Daniel, me sentía agitado por dentro y me turbaban las visiones de mi fantasía».

El pueblo esperaba la llegada de ese salvador, proveniente de la estirpe de David, al que se referían como Mesías o Hijo del Hombre, basándose en la visión de Daniel. Él habría de liberarlos de todas aquellas injustas calamidades.

En esta época terrible surgieron otras grandes promesas: la vida en otro mundo, al que se llamaba Reino de Dios, en el que habría felicidad eterna; la existencia de un Juicio, al final de la historia, en el que Dios repararía las injusticias, premiaría a las víctimas y castigaría a los culpables; la resurrección de los cuerpos, que regresarían a la vida, se presentarían al Juicio y, en caso de ser salvados, se transfigurarían para entrar en el nuevo Reino.

Muchos pensaban entonces que el final de los tiempos y la llegada del Juicio eran inminentes, que tendrían lugar en cuestión de meses o de pocos años. En este contexto se sitúa la predicación de Jesús, que nació poco tiempo después. De sus obras y palabras, recogidas en los textos del Nuevo Testamento, surgió una nueva religión, el cristianismo. Los cristianos creen que Jesús es aquel Mesías tan esperado, y además lo consideran Hijo de Dios.

También la religión judía cambió mucho en el curso de aquellos años. Tras la muerte de Jesús, los romanos destruyeron el Templo y los judíos tuvieron que volver a abandonar su patria, repartiéndose en una gran diáspora por muchos lugares del mundo.

Hoy en día, tanto los judíos como los cristianos siguen esperando, cada uno a su manera, la llegada de un nuevo Reino de paz y felicidad eternas.

DESPUÉS DE LA LECTURA

Un libro que contiene muchos libros

Un ejercicio de filología bíblica

Tal y como hemos apuntado en la introducción, los textos que componen la Biblia se fueron escribiendo a lo largo de mucho tiempo y algunas veces provienen de distintas tradiciones. Analizaremos a continuación el caso de los dos relatos de la Creación, que se suceden en el Génesis, y que se corresponden con el texto 1 y la primera parte del texto 2 de esta antología. Su lectura comparada nos mostrará la existencia de dos historias alternativas sobre la creación del mundo y del ser humano, escritas en momentos diversos y que ofrecen perspectivas diferentes.

• Lee el texto 1 y anota el orden en que tiene lugar la Creación. ¿Qué sucedió «al principio»? ¿En qué momento aparecen los seres vivos? ¿Y el ser humano?

• Compáralo ahora con el inicio del texto 2, hasta la aparición de la serpiente, ¿el orden de la Creación es el mismo? ¿En qué momento se da vida al hombre?

• Analiza el modo en que es creada la mujer en ambos textos. ¿Cuál es el más recordado en la historia de la cultura? ¿Qué destacarías de cada uno de los relatos sobre la aparición del hombre y la mujer? ¿En cuál de ellos los personajes aparecen más individualizados?

• Fíjate ahora en la creación del mundo. ¿En qué narración se da una descripción geográfica más precisa? Busca en un libro de geografía el lugar en que se sitúa el Paraíso, con las referencias que aparecen en el texto. ¿Qué piensas de que se sitúe el Paraíso en la Tierra, en una zona realmente existente?

• ¿Cuál es el mandato que Dios da al hombre y la mujer en uno y otro texto? ¿Para qué te parece que los crea? ¿Qué facultades les otorga?

- Sabemos, gracias a las investigaciones en filología bíblica, que el primer relato de la Creación es en realidad el más moderno, mientras que el segundo es más antiguo. Fíjate en los elementos mitológicos del texto 2, y también en el orden y la concisión del texto 1. ¿Qué diferencias encuentras en el modo en que Dios es presentado en ambos relatos? ¿De qué modo interviene en cada uno de ellos?

La Biblia y los mitos

Algunas de las historias que aparecen en la Biblia hunden sus raíces en mitos muy antiguos, compartidos por los israelitas y otros pueblos del Mediterráneo y del Antiguo Oriente. Te proponemos explorar algunas de estas coincidencias a partir de dos célebres relatos.

La primera mujer

La historia de la creación de Eva, como ya hemos estudiado, se narra en la Biblia de dos modos distintos (lo puedes comprobar en los textos 1 y 2). La mitología griega propone otra historia, que podemos comparar con el relato bíblico. Hesíodo, en *Los trabajos y los días*, cuenta cómo Prometeo, el titán que había creado al hombre moldeándolo con arcilla, robó el fuego y, contra la voluntad del dios Zeus, se lo entregó a los humanos para que pudieran hacer uso de él. Entonces Zeus se enfureció y decidió vengarse. El fragmento de Hesíodo comienza con una exclamación de Zeus dirigida a Prometeo:

—Te alegras de que me has robado el fuego y has conseguido engañar mi inteligencia, enorme desgracia para ti en particular y para los hombres futuros. Yo a cambio del fuego les daré un mal con el que todos se alegren de corazón acariciando con cariño su propia desgracia.

Así dijo y se echó a reír a carcajadas el padre de hombres y dioses [Zeus]; ordenó al muy ilustre Hefesto mezclar cuanto antes tierra con agua, infundirle voz y vida humana y hacer una linda y encantadora figura de doncella semejante en rostro a las diosas inmortales. Luego encargó a Atenea que le enseñara sus labores, a tejer la tela de finos encajes. A la dorada Afrodita le mandó rodear su cabeza de gracia, irresistible sensualidad y halagos cautivadores; y a Hermes, el mensajero Argifonte, le encargó dotarle de una mente cínica y un carácter voluble.

Dio estas órdenes y ellos obedecieron al soberano Zeus. Inmediatamente modeló de tierra el ilustre Hefesto una imagen con apariencia de casta doncella por voluntad de Zeus. La diosa Atenea de ojos verdosos le puso un ceñidor y la engalanó. Las divinas Gracias y la augusta Persuasión colocaron en su cuello dorados collares y las Horas de hermosos cabellos la coronaron con flores de primavera. Palas Atenea ajustó a su cuerpo todo tipo de adornos; y el mensajero Argifonte configuró en su pecho mentiras, palabras seductoras y un carácter voluble por voluntad de Zeus. Le infundió habla el heraldo de los dioses y puso a esta mujer el nombre de Pandora porque todos los dioses le concedieron un regalo, perdición para los hombres que se alimentan de pan.

Luego que remató su espinoso e irresistible engaño, Zeus mandó a Argifonte, rápido mensajero, con el regalo de los dioses para Epimeteo [titán hermano de Prometeo]. Y no se cuidó Epimeteo de que le había advertido Prometeo que no aceptara jamás un regalo de manos de Zeus, sino que lo devolviera acto seguido para que nunca sobreviniera una desgracia a los mortales. Luego cayó en la cuenta el que lo aceptó, cuando ya era desgraciado.

En efecto, antes vivían sobre la tierra las tribus de hombres libres de males y exentas de la dura fatiga y las penosas enfermedades que acarrea la muerte. Pero aquella mujer, al quitar con sus manos la enorme tapa de una jarra los dejó diseminarse y procuró a los hombres lamentables inquietudes.

Solo permaneció allí dentro la Esperanza, aprisionada bajo los bordes de la caja, y no pudo volar hacia la puerta; pues antes cayó la tapa de la jarra por voluntad de Zeus portador de la égida y amontonador de nubes.

Mil diversas amarguras deambulan entre los hombres: repleta de males está la tierra y repleto el mar. Las enfermedades ya de día ya de noche van y vienen a su capricho entre los hombres acarreando penas a los mortales en silencio, puesto que el providente Zeus les negó el habla. Y así no es posible de ninguna manera escapar a la voluntad de Zeus.

• Tanto en el mito griego como en el segundo relato de la Creación de la Biblia la mujer es creada después que el hombre. ¿Por qué razón el dios decide dar al hombre una compañera en cada una de las narraciones? ¿Qué consecuencias crees que puede tener esto en la manera en que se concibe la relación entre los sexos?

• La mujer, en ambos relatos, aparece como liberadora de males, como aquella cuya acción conduce al sufrimiento y a la muerte. Sin embargo, ¿cuál es la motivación de Eva para tomar la fruta del árbol prohibido? Quizá te ayude pensar en cuál es el nombre de ese árbol. ¿Por qué Dios protege el árbol de la Vida para que Adán y Eva ya no puedan comer de él?

• Seguramente habrás oído hablar de la caja de Pandora, en lugar de la jarra, tal como se la llama en el relato de Hesíodo. Esto es así porque hay varias versiones del mito. En otra de ellas se cuenta que el titán Epimeteo tenía en su casa una habitación donde guardaba algunos objetos de valor, entre ellos una caja cerrada. Poco a poco fue creciendo en Pandora una gran curiosidad por conocer su contenido. Finalmente, un día quebró el sello y abrió la tapa para mirar dentro. En ese mismo instante escaparon de la caja una multitud de males y enfermedades, como el reumatismo y los cólicos para el cuerpo, y la envidia, la ira y la venganza para el alma, y estos males se repartieron por todas partes. Pandora cerró la caja de inmediato, pero ya era tarde, pues todo su contenido había escapado, solo se quedó dentro, atrapada, la esperanza. Desde entonces, aunque los males nos acechen, la esperanza nunca nos deja por entero. Y mientras tengamos un poco de esperanza ningún mal puede derrotarnos completamente. ¿Qué tienen en común Pandora y Eva? ¿Qué fue lo que las llevó a transgredir las normas establecidas?

El diluvio y la «Epopeya de Gilgamesh»

Lee el texto 4, en el que se narra la historia del diluvio y el Arca de Noé. La llegada de un terrible diluvio provocado por la cólera de

los dioses contra los hombres es un tema recurrente en mitos aca-
dios, sumerios e hititas. Una de las versiones más conocidas, además de la bíblica, es la que aparece en la *Epopeya de Gilgamesh*:
Ea, dios de la Sabiduría, advierte al protagonista, Utnapishtim, de
que otros dioses, encabezados por Enlil, el Creador, van a enviar un
gran diluvio y él debe construir un arca para salvar a los seres vivos.
El motivo de Enlil para destruir a la humanidad parece haber sido
el excesivo ruido que hacían los hombres, que impedía a los dioses
dormir. Utnapishtim, su familia y otros artesanos de la ciudad cons-
truyen un arca, en la que se encierran el protagonista, su familia
y los artesanos, junto con animales y todo tipo de riquezas de oro y
plata. Tras siete días de diluvio incesante, la tormenta amainó. Habla Utnapishtim:

> El mar se aquietó, la tempestad se apaciguó, el diluvio cesó.
> Contemplé el tiempo: la calma se había establecido,
> y toda la humanidad había vuelto a la arcilla.
> El paisaje era llano como un tejado chato.
> Abrí una escotilla y la luz hirió mi rostro.
> Inclinándome muy bajo, senteme y lloré,
> deslizándose las lágrimas por mi cara.
> Miré en busca de la línea litoral la extensión del mar.
> En el Monte Nisir el barco se detuvo.
> [...]
> Al llegar el séptimo día,
> envié y solté una paloma.
> La paloma se fue, pero regresó;
> puesto que no había descansadero visible, volvió.
> Entonces envié y solté una golondrina.
> La golondrina se fue, pero regresó;
> puesto que no había descansadero visible, volvió.
> Después envié y solté un cuervo.
> El cuervo se fue y, viendo que las aguas habían disminuido,
> come, se cierne, grazna y no regresa.
> Entonces dejé salir todo a los cuatro vientos
> y ofrecí un sacrificio.
> [...]

Cuando finalmente llegó Enlil,
y vio el barco, Enlil montó en cólera,
le invadió la ira contra los dioses Igigi:
«¿Escapó algún alma viva?
¡Ningún hombre debía sobrevivir a la destrucción!».

El fragmento termina con una discusión entre los dioses. Tras el diluvio, las divinidades Ea y Mami crearon a catorce humanos para ayudar a repoblar la tierra.

Compara esta historia con la del Génesis tratando de responder a las siguientes preguntas:

• Analiza los principales paralelismos y diferencias entre los dos relatos.

• ¿Cuál es la razón por la que el Dios bíblico envía el diluvio? ¿Qué te parece en relación a la de Enlil? Reflexiona acerca de la arbitrariedad de los dioses mitológicos y el sentido de la culpa y el pecado en la Biblia. ¿De qué modo puede situarse el hombre ante la divinidad en ambas tradiciones?

• Compara la actitud del Dios bíblico y de Enlil al final del relato. ¿Cómo termina la historia del Arca de Noé? ¿Cuál es la reacción del dios babilonio? Piensa en cómo este análisis te puede ayudar a perfilar la importancia de la idea de la Alianza entre Dios y los hombres en la Biblia.

La Biblia y la historia

• La Biblia se desarrolla en una geografía muy concreta, la de Palestina y Oriente Medio. Si haces un mapa de la zona, podrás situar y encontrar con facilidad los lugares que aparecen en los relatos. Busca información acerca de qué espacio ocupan la tierra de Canaán, el Mar Muerto, el Mar Rojo, el desierto de Judá, y las ciudades más importantes que aparecen en los relatos, como Jerusalén, Samaria o Nínive. También puedes hacer mapas en los que se reflejen los movimientos del pueblo judío: el Éxodo y la liberación de la esclavitud en Egipto, la conquista de Canaán, el Exilio de Babilonia y la vuelta a Palestina.

• Trata de buscar información sobre los diferentes imperios que subyugaron a los pueblos de Israel y de Judá: el imperio egipcio, el asirio, el babilonio, el medo-persa, el helenístico y, finalmente, el romano. Seguramente habrás estudiado algunos de ellos en los libros de historia. Piensa ahora en la perspectiva que nos ofrece la Biblia de estos imperios: ¿es el pueblo de Israel fuerte y dominador? ¿Qué nos puede aportar una visión de la Antigüedad desde el punto de vista de los vencidos y no de los dominadores?

• Algunos relatos bíblicos, como por ejemplo el 82, en el que se narra la caída de Jerusalén en manos de Nabucodonosor, están basados en hechos históricos (lo que no quiere decir que sean totalmente fieles a los acontecimientos). Hay otros, sin embargo, que a pesar de haber sido escritos en épocas posteriores, se sitúan, narrativamente, en un momento anterior. Los casos más claros serían los de Daniel (textos 86 y 87) y Judit (textos 97 y 98). Léelos y fíjate en qué época están situados los relatos. Después ten en cuenta que ambos se escribieron en época helenística, cuando los judíos tenían que luchar contra una potente cultura extranjera, cuyos dirigentes llegaron incluso a prohibir su religión. ¿Qué mensaje crees que trasladan las historias de Daniel y Judit a los judíos de su época? Trata de elaborar alguna hipótesis acerca de por qué sus autores decidieron situarlas en aquel momento del pasado.

Motivos recurrentes en la Biblia

La fraternidad

• En los primeros relatos de la Biblia encontramos una interrogación constante sobre el tema de la fraternidad. Lee el texto 3, que narra la historia de Caín y Abel, y piensa en el modo en que se produce la primera muerte humana en la Biblia, ¿fue una muerte natural? Reflexiona sobre este hecho. ¿Qué fue lo que llevó a Caín a asesinar a Abel? ¿Por qué crees que Dios, al final del relato, protege a Caín y a sus descendientes?

• Esaú y Jacob (textos 15,16 y 20), hermanos gemelos, mantienen también una relación atormentada. ¿Qué le dice Dios a Rebeca mientras ella está embarazada? ¿Se cumplen sus palabras? ¿Qué te parece el papel de Rebeca en el engaño urdido por Jacob? ¿De qué modo se reconcilian los dos hermanos?

• José y sus hermanos (textos 21 y 24) constituyen otro interesante ejemplo de relaciones fraternas conflictivas. ¿Por qué los hermanos de José deciden venderlo? ¿Te recuerda su motivación a la de algún otro personaje de los citados anteriormente? ¿Qué actitud demuestra José hacia sus hermanos años más tarde, cuando estos llegan a Egipto? Reflexiona sobre los afectos fraternos y la capacidad de perdón tal y como aparecen reflejados en esta historia y la de Esaú y Jacob.

La lealtad y la traición

• Lee los textos 54, 56 y 57. ¿Qué sentimientos se despiertan en Saúl hacia David? ¿Cuál es la actitud de Jonatán? ¿Qué virtud encarna Jonatán en el relato?

• En el texto 63 se narra la rebelión de Absalón. ¿Qué sucede? ¿Cuál es la actitud de David? Piensa en otros casos famosos, en la literatura o en el cine, de hijos que conspiran contra sus padres.

El incesto

En la Biblia aparecen varios pasajes en que se narran relaciones incestuosas, ya sea con violencia, agresividad o engaño. Dejamos de lado, en este punto, los matrimonios formados por primos, muy comunes en determinados países hasta hoy en día, y que no representan ningún tabú en la cultura de la Biblia.

• Lee el texto 12 y piensa en la actitud de las hijas de Lot. ¿Qué es lo que las lleva a querer mantener relaciones sexuales con su padre? ¿Qué opinión te merece su actitud?

• En el texto 61 se narra la historia de Amnón, que fuerza a su hermana Tamar. ¿Cómo se reflejan los sentimientos de Amnón? ¿Cuáles son las reacciones de David y Absalón?

Liberaciones

- Lee el texto 27 e identifica la causa por la que Dios decide intervenir para socorrer a los israelitas. ¿Qué te parece?
- Estudia ahora el texto 28 y haz un esquema de las diez plagas que asolaron Egipto. ¿Cómo definirías la actitud de Dios a lo largo de todo el proceso? ¿Puedes encontrar diferentes caras de Dios a través de la historia del Éxodo?
- El paso del Mar Rojo (texto 29) es uno de los momentos más célebres de la Biblia. Ha sido representado en multitud de cuadros y películas. Busca alguna de estas representaciones y reflexiona acerca del carácter épico y mítico del relato.
- Lee ahora el texto 42. ¿De qué modo libera Sansón al pueblo de los filisteos? ¿Qué te parece la actitud de Dalila? ¿Reconoces el estereotipo de la mujer «traicionera» que debilita al héroe? Quizá se te ocurra algún otro ejemplo de este tipo de personaje.
- En los textos 97 y 98 se narra la historia de Judit, liberadora del pueblo de Israel. ¿Qué es lo que hace la heroína para vencer a las tropas de Nabucodonosor? ¿Qué te sugiere la historia desde el punto de vista del heroísmo femenino?

La Alianza

- Revisa las sucesivas alianzas que Dios hizo con los hombres: con Noé después del diluvio (texto 4), con Abraham (texto 9) y con Moisés (texto 31). Enumera los deberes que se exigen en cada una de ellas, así como la contrapartida que Dios ofrece. ¿Crees que hay una progresión? ¿Qué opinas de estas obligaciones desde un punto de vista contemporáneo?
- Lee ahora el texto 32 y piensa por qué la construcción del becerro de oro es considerada una falta tan grande a la Alianza. ¿A qué crees que se refiere el pecado de idolatría? ¿Entiendes las motivaciones de los israelitas para desobedecer a Dios?

Justicia humana y justicia divina

• Los textos que narran la conquista de la tierra prometida son a menudo bastante cruentos. Lee el 39, en el que se cuenta la conquista de Jericó y la ayuda divina que los israelitas reciben para ello. ¿Qué clase de moral se preconiza en el relato? ¿Te parece justa? ¿Por qué?

• Si lees los textos referentes al gobierno de Samuel y los reinados de Saúl, David y Salomón comprobarás que Dios interviene a menudo en los sucesos que ocurren. ¿Con qué criterio lo hace? ¿Cuál es la enseñanza que se puede sacar de estos episodios acerca de la justicia divina?

• ¿Cuál es el pecado de Saúl? (texto 50). ¿Y el de David? (texto 59). ¿Cómo reacciona Dios a cada uno de ellos? ¿Qué interpretación haces de estos hechos?

• En el texto 60 se narra el arrepentimiento de David, y el terrible castigo que Dios le ha preparado. Lee ahora también el texto 57: ¿se muestra David como un personaje proclive al perdón y el arrepentimiento? Reflexiona acerca de estas virtudes y el posible favor de Dios.

• ¿Qué le pide Salomón a Dios en el texto 64? ¿Y Dios qué le otorga? ¿Qué es lo que agrada a Dios de la actitud de Salomón?

• En el texto 65 se muestra un ejemplo de la sabiduría de Salomón. ¿En qué se basa su juicio? ¿Te parece una idea acertada la que tuvo el rey?

• Lee los textos 70 y 71: ¿qué clase de justicia ejerce Dios? ¿Cuál es la consecuencia de los pecados del rey? ¿Qué clase de moral impera en este juicio?

• ¿Cuál es la explicación teológica de la destrucción del reino de Israel? (texto 78). ¿Qué te parece esta asunción, desde un punto de vista contemporáneo?

• Lee ahora los textos correspondientes a la historia de Job (89, 90, 91, 92, 93 y 94): ¿se mantiene en ella la idea de que los malvados sufren por sus pecados, mientras que los bondadosos son recompensados por Dios? ¿Qué actitud manifiesta Job ante sus desgracias? ¿Se siente culpable de ellas? ¿Pide perdón a Dios? ¿Qué opina el personaje acerca de la justicia divina en la Tierra? Como habrás comprobado, el libro de Job plantea el problema filosófico del mal en el mundo y de las razones del sufrimiento humano. Puedes tratar de escribir un texto personal con tus propias ideas acerca de estos dilemas universales.

• ¿Qué ideas acerca de la vida expresa Qohélet en el texto 96? Busca información acerca del tópico grecorromano del *Carpe diem*, y del movimiento existencialista del siglo XX, y trata de pensar sobre la influencia helenística en este libro bíblico y sobre la modernidad de las ideas que expresa.

El amor

• Jacob y Raquel son sometidos a diversas pruebas para disfrutar su amor. Lee el texto 18, en que se narra su historia. ¿Qué te parece su actitud? ¿La poligamia era aceptada en estos primeros tiempos de la Biblia?

• ¿Qué clase de sentimientos albergaba David por Betsabé? (texto 59). ¿Qué hace el rey para conseguir su amor? ¿De qué modo Natán le hace tomar conciencia de su error? En la obra *Hamlet*, de William Shakespeare, se produce una escena similar, en la que un personaje es confrontado a la realidad de sus actos a través del teatro. Investiga sobre esta historia y trata de compararla con la bíblica.

• Lee el texto 66, en el que se reproduce un fragmento del Cantar de los Cantares. Se trata de un poema de amor, entre un hombre y una mujer. Tradicionalmente se ha puesto en boca de Salomón, aunque es muy poco probable que él lo compusiera. En realidad, sabemos muy poco sobre su autor. Algunos estudiosos opinan que su origen está en cantos de boda, es decir, de amor profano, y otros, que simbólicamente se está refiriendo al amor entre Dios y su pueblo, o entre Cristo y la Iglesia, según las tradiciones. Estudia el fragmento y trata de encontrar en él el germen de las diversas interpretaciones.

• La figura de la reina de Saba (texto 69) ha dado lugar a gran cantidad de leyendas. Según algunas de ellas, habría tenido un romance con el rey Salomón y a ella estaría dedicado el Cantar de los

Cantares. Un relato etíope, recogido en el libro sagrado *Kebra Nagast,* dice que incluso habría tenido un hijo, llamado Menelik, con el mítico rey. Lee el siguiente fragmento, extraído del *Kebra Nagast,* en el que se narra la argucia que utilizó Salomón para pasar una noche con la reina de Saba. Piensa en cómo completa el relato bíblico. ¿De qué modo podría continuar la historia? Puedes probar a ponerlo por escrito.

Salomón dijo a la reina de Saba:

—Te juro que no te forzaré a que estés conmigo, pero tú me tienes que jurar que no tomarás nada de lo que está en mi casa.

La reina se rio y le dijo:

—Eres un hombre sabio, ¿por qué te hablo como a un tonto? No voy a robar nada, ¿o acaso me voy a llevar de la casa del rey aquello que el rey no me ha dado? No pienses que he venido aquí buscando riquezas. Además, mi reino es tan rico como el tuyo, y puedo complacer todos mis deseos. Solo he venido en busca de tu sabiduría.

Salomón le respondió:

—Si tú quieres que haga un juramento, hagámoslo los dos, de modo que ninguno pueda ser tratado injustamente.

Ella le dijo:

—Júrame que no vas a forzarme, y yo por mi parte te juraré que no me voy a llevar ninguna de tus posesiones.

Y juró ella y le hizo jurar al rey. Y Salomón subió a su cama, por un lado de la habitación, y los criados prepararon para ella una cama al otro lado. Y Salomón dijo a un joven criado:

—Lava la vasija y vierte en ella un poco de agua, mientras la reina está mirando. Después cierra las puertas y vete a dormir.

Salomón habló al sirviente en una lengua que la reina no entendía, y él hizo lo que el rey le mandaba, y se fue a dormir. Salomón fingió estar dormido y se quedó mirando fijamente a la reina. La casa de Salomón estaba iluminada como si fuera de día, porque el rey, con su sabiduría, había puesto en el techo perlas brillantes como el sol, la luna y las estrellas. Mientras tanto, la reina dormía. Cuando se despertó tenía la boca seca y sentía sed, a causa de la comida que Salomón, intencionadamente, le había preparado. La reina tenía mucha sed, movía los labios y la lengua en busca de un poco de humedad. Así, se decidió a beber el agua que había visto. Miró a Salomón, lo observó detenidamente, y pensó que estaba profundamente dormido. Pero el rey no estaba dormido, solo esperaba a que la reina se levantara para beber el agua. Y ella se levantó y, sin hacer ruido con los pies, levantó la jarra para beber. Salomón, agarrándole la mano antes de que pudiera beber el agua, le dijo:

—¿Por qué has roto el juramento que me habías hecho de que no cogerías nada de mi casa?

Y ella respondió, atemorizada:

—¿He roto el juramento por el agua?

El rey le dijo:

—¿Hay algo más preciado que el agua?

Y la reina contestó:

—He faltado a mi juramento y ahora tú eres libre. Pero déjame beber agua para calmar mi sed.

Entonces Salomón le preguntó:

—¿Soy libre de mi juramento?

Y la reina respondió:

—Eres libre de tu juramento, solo déjame beber agua.

El rey le permitió beber agua, y después de haber bebido agua hizo su voluntad y durmieron juntos.

Las teofanías

Llamamos teofanías a las apariciones de Dios. Como habrás comprobado, Dios es el protagonista principal de muchos relatos bíblicos, y se muestra a los hombres de diversas maneras, a veces con forma humana, otras de manera más sutil y misteriosa. En general aparece para transmitir algún mensaje, y lo hace de forma directa o a través de mensajeros. En este sentido, es importante tener en cuenta que cuando en la Biblia se habla del ángel del Señor, en realidad no se está haciendo referencia a nuestra idea actual de ángel, sino que se está aludiendo al propio Dios manifestándose de algún modo, mostrándose a los seres humanos.

• Lee el texto 7: ¿de qué modo transmite Dios sus deseos a Abrán? Piensa ahora en el conjunto del libro: ¿Cuál es el sentido (vista, olfato, oído, etc.) que, en la Biblia, utiliza más a menudo Dios para manifestar su voluntad a los hombres? ¿Qué consecuencias crees que tiene este hecho? Trata de crear tus propias hipótesis al respecto.

• En el texto 8 se dice, literalmente, que a Abrán «se le apareció el Señor». ¿Cómo interpretas esta frase? Reflexiona acerca de la figura de un Dios que «habla», tras haber creado el mundo a través de la palabra. ¿Crees que esto es común a otras culturas? Busca algunos ejemplos.

• En el texto 10, Abraham recibe la visita de unos hombres misteriosos que le anuncian el próximo nacimiento de Isaac. ¿Quiénes son esos visitantes? ¿Cómo se comportan? Lee ahora el texto 11, en el que se anuncia la destrucción de Sodoma y Gomorra. Los ángeles avisan a Lot de lo que va a suceder. ¿Cómo te imaginas a esos ángeles? ¿Te resulta extraño que Dios aparezca representado con forma humana? ¿Por qué?

• Lee el relato 17, en el que se narra un sueño de Jacob. ¿Qué sucede en él? ¿Cómo interpreta el propio Jacob su sueño? Piensa en otras historias en las que una divinidad transmite un mensaje en sueños (puedes pensar en ejemplos de la mitología griega, por ejemplo). Ahora te proponemos que te fijes en este pasaje del Evangelio de Mateo, situado justo después del nacimiento de Jesús y la adoración de los Reyes Magos:

> Cuando ya se habían ido, un ángel del Señor se le apareció en sueños a José y le dijo: «Levántate, toma al niño y a su madre, y huye a Egipto. Quédate allí hasta que yo te avise, porque Herodes va a buscar al niño para matarlo». Así que se levantó cuando todavía era de noche, tomó al niño y a su madre, y partió para Egipto, donde permaneció hasta la muerte de Herodes. De este modo se cumplió lo que el Señor había dicho por medio del profeta: «De Egipto llamé a mi hijo».

• ¿De qué modo reacciona José ante su sueño? ¿Es similar su actitud a la de Jacob? ¿Crees que en la actualidad damos tanto crédito a los sueños? ¿Para ti son importantes? Argumenta por qué. En la Biblia hay dos personajes que interpretan sueños: José (texto 23) y Daniel (texto 87). Lee ambos relatos y estudia sus similitudes y diferencias. ¿Te parece que se pueden interpretar los sueños? ¿De qué modo piensas que puede sernos útil conocer su significado?

• El texto 19 es uno de los más misteriosos de la Biblia. ¿Bajo qué forma se aparece Dios a Jacob? ¿Qué sucede entre ellos? ¿Qué le pide Jacob al ángel? ¿Qué significado tiene su nuevo nombre? Lee ahora con atención las últimas líneas y piensa en la reflexión que hace Jacob: ¿qué consecuencias podía tener el ver el rostro de Dios? ¿Por qué es tan extraordinario lo que le ha sucedido a Jacob?

• En el texto 27, que ya hemos comentado desde otro punto de vista, Dios se revela a Moisés. ¿Cuál es la señal que le envía? ¿Qué tipo de teofanía se produce después?

• ¿Qué representa la tienda del encuentro? (texto 33). ¿De qué modo ha cambiado la relación de Dios con el pueblo?

• Lee el texto 74 y trata de explicar qué idea de Dios se manifiesta a Elías. ¿Qué mensaje crees que transmite el fragmento?

Celos e idolatría

El Dios de la Biblia es a menudo una divinidad celosa, que castiga a los hombres cuando estos le abandonan y adoran a otros dioses. Tal hecho es, al menos en parte, consecuencia de su generosidad al haber querido establecer una Alianza con su pueblo.

• Lee el texto 32, ¿cuál es el pecado de los israelitas? ¿Entiendes el comportamiento del pueblo y la reacción de Dios? Explica por qué.

• En el texto 70 se narra la idolatría de Salomón: ¿cuál fue su pecado? ¿De qué modo lo castigó Dios? ¿Cuáles son las consecuencias para el pueblo?

• En el texto 73 Elías se mide con los profetas de Baal. Busca información sobre esta deidad cananea. ¿Qué idea trata de transmitir el texto?

Los profetas

• ¿Qué es un profeta? Basándote en las breves palabras expues-
tas en la introducción a este respecto, trata de encontrar información acerca de los profetas en la Biblia y en otras culturas de la
Antigüedad. ¿Te parece que, de algún modo, puede estar hoy vigen-
te la figura del profeta en nuestra sociedad?

• Elías, en el texto 73, realiza tres milagros: la multiplicación
del pan y del aceite y la resurrección del hijo de una viuda. Compara el texto con estos dos fragmentos del Nuevo Testamento. ¿Te sor-
prenden las coincidencias?

En aquel tiempo, Jesús se marchó a la otra parte del mar de
Galilea, el de Tiberíades, y mucha gente le seguía porque veían
las señales que realizaba en los enfermos. Subió Jesús al monte
y se sentó allí en compañía de sus discípulos. Estaba próxima la
Pascua, la fiesta de los judíos. Al levantar Jesús los ojos y ver
que venía hacia él mucha gente, dice a Felipe: «¿Dónde vamos
a comprar panes para que coman estos?». Se lo decía para pro-
barle, porque él sabía lo que iba a hacer. Felipe le contestó:
«Doscientos denarios de pan no bastan para que cada uno tome
un poco». Le dice uno de sus discípulos, Andrés, el hermano de
Simón Pedro: «Aquí hay un muchacho que tiene cinco panes de
cebada y dos peces; pero ¿qué es eso para tantos?». Dijo Jesús:
«Haced que se recueste la gente». Había en el lugar mucha hierba. Se recostaron, pues, los hombres en número de unos cinco
mil. Tomó entonces Jesús los panes y, después de dar gracias,
los repartió entre los que estaban recostados y lo mismo los peces, todo lo que quisieron. Cuando se saciaron, dice a sus discípulos: «Recoged los trozos sobrantes para que nada se pierda».
Los recogieron, pues, y llenaron doce canastos con los trozos de
los cinco panes de cebada que sobraron a los que habían comido
(Evangelio de Juan).

Y sucedió que se fue [Jesús] a una ciudad llamada Naím, e
iban con él sus discípulos y una gran muchedumbre. Cuando se

acercaba a la puerta de la ciudad, sacaban a enterrar a un muerto, hijo único de su madre, que era viuda, a la que acompañaba mucha gente de la ciudad. Al verla, el Señor tuvo compasión de ella, y le dijo: «No llores». Y, acercándose, tocó el féretro. Los que lo llevaban se pararon, y él dijo: «Joven, a ti te digo: Levántate». El muerto se incorporó y se puso a hablar, y él se lo dio a su madre. El temor se apoderó de todos, y glorificaban a Dios, diciendo: «Un gran profeta se ha levantado entre nosotros» y «Dios ha visitado a su pueblo» (Evangelio de Lucas).

• En el texto 75 se narra la ascensión al cielo de Elías. Según la tradición, el profeta no ha muerto, sino que volverá a la tierra para anunciar la llegada del Mesías. En este fragmento del Evangelio de Marcos, en el que se cuenta la crucifixión de Jesús, se pueden ver los ecos de tal creencia:

Al llegar el mediodía, toda la región quedó en tinieblas hasta la media tarde. Y, a la media tarde, Jesús clamó con voz potente: «Eloí, Eloí, lamá sabaktaní». Que significa: «Dios mío, Dios mío, ¿por qué me has abandonado?». Algunos de los presentes, al oírlo, decían: «Mira, está llamando a Elías». Y uno echó a correr y, empapando una esponja en vinagre, la sujetó a una caña, y le daba de beber, diciendo: «Dejad, a ver si viene Elías a bajarlo». Y Jesús, dando un fuerte grito, expiró. El velo del Templo se rasgó en dos, de arriba abajo. El centurión, que estaba enfrente, al ver cómo había expirado, dijo: «Realmente este hombre era Hijo de Dios».

¿Con qué intención te parece que se menciona a Elías en este texto? ¿Creían los presentes que Jesús era el Mesías, cuya venida había sido anunciada por Elías?
• El profeta Jeremías (texto 80) denuncia la hipocresía religiosa. ¿Qué relación encuentras entre este texto y el siguiente fragmento del Evangelio de Marcos?

Llegan a Jerusalén. Y, entrando en el Templo, [Jesús] comenzó a expulsar a los que vendían y a los que compraban en el Templo, y derribó las mesas de los cambistas y los puestos de los que vendían palomas. Y no permitía que nadie transportase cosas del Templo, y les enseñaba diciendo: «¿No está escrito que mi casa será llamada casa de oración para todas las gentes? Vosotros, en cambio, la habéis convertido en una cueva de ladrones».

• Isaías (texto 81) evoca la llegada de un nuevo mundo de paz y felicidad. ¿Está este reino en la tierra? ¿Qué descripción harías tú de ese futuro Paraíso terrenal?

• En el texto 85, Ezequiel tiene una impresionante visión. ¿De qué modo crees que su promesa podía consolar al pueblo desterrado en Babilonia? ¿Qué diferencia hay con la esperanza expresada en el texto 84?

• Jonás (texto 99) encarna, en cierto modo, a un antiprofeta. ¿Cómo reacciona ante la llamada de Dios? Trata de encontrar rasgos de ironía en el texto. ¿De qué modo cambia después la actitud de Jonás? Los judíos leen este texto en un día señalado, considerado el momento en que se produce el arrepentimiento y el perdón de los pecados del pueblo. Trata de pensar por qué.